De ontbijtclub

De ontbijtclub
Corien Oranje

Met illustraties van
Magda van Tilburg

COLUMBUS / KWINTESSENS

STICHTING NEDERLANDSE
KINDERJURY
2006

© 2005, Uitgeverij Columbus
Uitgeverij Columbus is onderdeel van Uitgeversgroep Jongbloed te Heerenveen
© Illustraties Magda van Tilburg
Omslagontwerp Peter Dees
Ontwerp binnenwerk/dtp Gerard de Groot
www.jongbloed.com
ISBN 90-8543-004-6

In licentie uitgegeven door Kwintessens Uitgevers, Amersfoort
ISBN 90-5788-126-8
Bestelnummer 5178
Omslagontwerp: www.enof.nl

NUR 283
AVI-7

Inhoud

1. Geld

'Frank,' zegt Felicia, 'we hebben geld nodig.'
Frank ligt op een groot kussen. Hij staart naar de kleine
sterretjes boven zijn hoofd. Hij wou dat hij zo'n plafond in zijn
kamer had. Maar zijn moeder vindt dat een plafond wit hoort te
zijn. Niet donkerblauw met gouden spikkeltjes.
'Hoor je me nou?' zegt Felicia ongeduldig. Ze valt bijna uit haar
hangmat als ze overeind gaat zitten. 'We hebben geld nodig.'
Frank schrikt op. 'Geld? Waarvoor?'
'Voor als we een band willen oprichten.'
Frank komt half overeind. Hij grinnikt. 'Willen we een band
oprichten, dan? Wist ik niks van.'
'Ik heb het ook nog maar net bedacht', zegt Felicia. 'Vet cool,
man, een band. Gaan we optreden en zo.'
'Optreden?' Frank gaat zitten. 'We kunnen niet eens een
instrument spelen!'
'Ja, hèhè. Dat weet ik ook wel. Dat gaan we dan natuurlijk leren.
Maar we hebben eerst een keyboard nodig. En een gitaar en een
drumstel natuurlijk.'
Frank laat het idee op zich inwerken. Een band... Felicia heeft
altijd van die wilde plannen. Plannen die meestal op niets
uitlopen. Zelf een zeilboot bouwen. Een paardenhotel beginnen.
Een eigen kinderkrant uitgeven.
'Gaan we gave muziek maken', zegt Felicia. 'Jij mag achter het
drumstel, oké?'
'Mmm.' Het drumstel... Dat maakt het wel iets beter. 'Maar

waar wil je die dingen dan vandaan halen, dat drumstel en zo?'
'Ja, daar hebben we dat geld voor nodig, natuurlijk! Dat zeg ik
toch!' Felicia slaakt een diepe zucht. Ze zakt weer achterover in
haar hangmat. 'We moeten alleen bedenken hoe we aan geld
kunnen komen. Weet jij wat?'
Frank grinnikt. 'Ja, ik heb een heel goed idee. Als jij nou op de
markt gaat staan en liedjes gaat zingen. Met een bakje in je hand
waar mensen geld in kunnen doen.'
Felicia kijkt hem vermoeid aan. 'Ja hoor! Je denkt zeker dat ik
mezelf voor gek ga zetten. Liedjes zingen op de markt... Ik kijk
wel uit!' Ze is even stil. 'Hé, maar wat we wel kunnen doen... Ja,
dat is een goed idee! We gaan limonade invriezen in plastic
bekertjes. Met een stokje erin. Dan kunnen we ijsjes verkopen!
Wat dacht je daarvan?'
Frank schudt zijn hoofd. 'Wie koopt dat nou!'
'Dan bakken we koekjes.'
'Ik denk niet dat...'
'Nou, bedenk jij dan wat beters!'
Frank bijt op de nagel van zijn duim. Dat van die band, daar moet
hij nog eens over nadenken. Maar geld verdienen is altijd handig.
Alleen, hoe doe je dat? Werken mogen ze natuurlijk niet. Ze
zullen iets anders moeten verzinnen. Maar dan wel wat beters
dan ijsjes verkopen of koekjes bakken.
Ineens heeft hij het. 'Hé, Felies! Als we nou eens samen ontbijten
gaan verzorgen!'
Felicia fronst haar voorhoofd. 'Ontbijten?'
'Ja! Feestontbijten. Mijn oma heeft dat pas gehad toen ze jarig
was. Toen kreeg ze een speciaal feestontbijt. Een doos met allemaal lekkere dingen erin. Broodjes natuurlijk. Boter en jam in

kleine pakjes. Een klein doosje hagelslag, een paar plakjes kaas en vlees. Een pakje sinaasappelsap. Yoghurt met aardbeien. Misschien dat dat...'

Felicia laat zich uit haar hangmat vallen. 'Wat een geweldig idee!' roept ze. 'Dat doen we!'

Ze haalt een schrijfblokje van haar bureau en ploft naast Frank op het kussen neer. 'Kom op', zegt ze, 'we moeten meteen aan de slag.' Ze tikt met haar pen tegen haar tanden. 'Laten we eerst een naam verzinnen, oké? Wat vind je van "Het vroege vogeltje"?'

Frank denkt even na. Dan schudt hij zijn hoofd. 'Nee. Dan denken ze dat we heel vroeg komen. En ze willen natuurlijk uitslapen. Mensen willen altijd uitslapen op hun verjaardag.'

'Het lekkerbekje?'

'Nee. Een lekkerbekje is een vis.'

Felicia knijpt haar ogen half dicht en doet ze weer open. Ze grinnikt. 'Ik heb het! "De kaasmeisjes"!' Ze deinst achteruit als Frank een uitval doet. 'Help! Niet doen! Ik maak maar een geintje.'

'Pas op, hè', zegt Frank dreigend. Dan laat hij zich weer achterover zakken. Hij legt zijn handen onder zijn hoofd. Peinzend tuurt hij naar de sterretjes. 'Volgens mij, hè...' zegt hij, 'volgens mij moeten we een gewone naam hebben. Een serieuze naam. Anders werkt het niet. Wat dacht je van "De ontbijtclub"?'

"De ontbijtclub"?' Felicia knikt langzaam. 'Mmm. Beetje saai. Maar dat is misschien juist het beste. Oké. "De ontbijtclub".'

2. De folder

'**N**etjes genoeg?' vraagt Frank. Hij houdt het kaartje op dat hij net geschreven heeft.

Felicia knikt. 'Ik kan het lezen, in elk geval.'

'Ja, en dat zegt heel wat bij jou', grinnikt Frank.

'Het zegt eerder wat over jouw handschrift!' zegt Felicia.

Frank zet het kaartje tussen de andere advertenties op het bord. Hij doet een stap achteruit. Het is goed dat hij met rode stift heeft geschreven. Zo valt hun kaartje tenminste op tussen de andere.

Jarig?
Voor uw feestelijke
verjaardagsontbijt,
mail naar
deontbijtclub@hotmail.com

Alleen op zaterdag en in de
vakanties!

'Gaaf!' zegt Felicia. 'Oké! Wat doen we nu?'

'Ja, wat dacht je?' zegt Frank. 'Nu gaan we de folders bezorgen, natuurlijk.'

Hij haalt een stapel folders uit zijn rugzak en kijkt ernaar. Ze hebben er hard aan gewerkt, gisteren. Hun folder ziet er goed uit.

De ontbijtclub

De ontbijtclub verzorgt verjaardagsontbijten. Maar komt ook als u niet jarig bent. De ontbijtclub versiert uw kamer terwijl u eet. En zingt voor u.

Zet een kruisje voor wat u wilt:

eten: een ei hardgekookt/zachtgekookt/gebakken
yoghurt/havermout
een broodje
nog een broodje
pannenkoek
kaas
jam
hagelslag
sinaasappelsap
thee/koffie
banaan/sinaasappel
knakworstjes

muziek: lang zal hij leven
happy birthday
er is er een jarig
of een ander lied (als u niet jarig bent),

vul in ....

Een ontbijt met versiering en muziek kost 5 euro. (De versiering moet weer terug.) Mail naar deontbijtclub@hotmail.com en wij halen uw lijst op. Alleen op zaterdag en in de vakanties.

'Doe jij die kant van de straat', zegt Frank. Hij geeft Felicia de helft van de folders. 'Dan doe ik deze kant.'

'Oké.'

'En niet in een brievenbus met een sticker erop! Die mensen worden boos als je een folder in de bus gooit.'

Felicia is al halverwege de straat. 'Weet ik', roept ze over haar schouder. 'Tot zo.'

Frank loopt naar het eerste huis. Hij voelt een vreemde kriebel in zijn maag. Meer dan tweehonderd folders hebben ze gisteren uitgeprint. Tweehonderd huizen... Stel je voor dat al die mensen gaan mailen. Straks denken ze nog dat de ontbijtclub een echt bedrijf is. Misschien worden ze wel boos als ze ontdekken hoe het zit. Dat de ontbijtclub geleid wordt door twee kinderen...

Hij draait zich om. Aan de overkant staat Felicia bij een groene brievenbus. Ze heeft al vier huizen gehad.

Frank haalt diep adem. Oké. Ze kunnen nu niet meer terug. Hij doet de klep van de brievenbus omhoog en gooit zijn eerste folder naar binnen. Een hond begint hard te blaffen. De ontbijtclub is vandaag officieel van start gegaan.

3. Mail

Het is negen uur 's avonds, maar het is nog steeds licht. Frank schopt het dekbed van zich af. Het is veel te warm om te slapen. Hij stapt uit bed en trekt het gordijn opzij. Zijn vader en moeder zitten in de tuin onder de kastanjeboom. Ze zijn thee aan het drinken.

Frank hoort de telefoon overgaan. Hij ligt naast moeder op het tuintafeltje. Moeder neemt hem op.

'Hé, Felicia,' zegt ze, 'slaap je nog niet? Frank? Nee, die slaapt al.' Frank steekt zijn hoofd naar buiten. 'Ik slaap helemaal niet!' roept hij.

Moeder kijkt omhoog. Ze steekt een vinger naar hem op en glimlacht. 'O,' zegt ze in de hoorn, 'hij is nog wakker. Ik zal hem even geven.'

'Ik kom wel!' roept Frank. Hij dendert de trap af. Door de open tuindeuren rent hij naar buiten.

'Alsjeblieft', zegt moeder. Ze geeft hem de telefoon aan. 'Felicia. Houd je het kort?'

Frank knikt. 'Hé, Felies!'

'O, sorry, het is al negen uur, hè? Ik dacht er niet aan dat je dan al in bed lag!'

'In bed?' zegt Frank zo verbaasd mogelijk. 'Helemaal niet! Ik ben in de tuin! Wat is er?'

'We hebben een mailtje!'

'Een mailtje? Echt?' Frank loopt snel naar binnen, zodat moeder hem niet kan horen. 'Ik had het nog niet gezien!'

'Het kwam net binnen! Daarom bel ik ook.'

'En?'

'Nou, bij een oude mevrouw in de Tramstraat. Zaterdag is ze jarig. Haar zoon stuurde het mailtje. Die wil haar verrassen. Morgen moeten we bij hem langs om de lijst op te halen. Hij heeft hem al ingevuld.'

Frank gaat op de bank zitten. 'Cool! Onze eerste klant!'

'Ja, super hè! Morgen uit school bij mij, oké? Dan kunnen we alles regelen.'

'Oké. Ik zie je.'

Met een grijns op zijn gezicht legt Frank de telefoon neer. Een echte klant! Vanaf zaterdag gaan ze geld verdienen!

'Wat was er?' vraagt moeder, die de kamer binnenkomt.

'O, niks', zegt Frank. 'Zomaar.'

'Zomaar?'

Frank haalt zijn schouders op. Zijn vader en moeder weten nog nergens van. Had hij ze wat moeten vertellen? Neee. Tuurlijk niet. Je mag je eigen club toch zeker wel geheim houden!

'Hoe laat gaat Felicia eigenlijk naar bed?' vraagt moeder.

'O, als ze wil', zegt Frank.

'Als ze wil? Mag ze het zelf weten?'

'Ja! Heel veel kinderen uit mijn klas mogen het zelf weten. Niemand hoeft zo vroeg naar bed als ik.'

Moeder lacht. 'Daar geloof ik nou niks van', zegt ze. 'Welterusten.'

'Welterusten.' Als Frank bij de deur is, draait hij zich om. 'Hé, mam – mag ik nog even achter de computer?'

'Nee.'

'Ah, toe... Heel even maar.'

'Morgenmiddag weer. Slaap lekker.'

Morgenmiddag weer. Leuk hoor. Was zijn moeder maar zo makkelijk als de moeder van Felicia. Felicia hoeft niet tot vier uur te wachten voor ze mag computeren. Ze mag zelf weten wanneer ze de computer aanzet. Of de tv. Of de gameboy. Bij Felicia eten ze soms pas om zeven uur 's avonds warm. Ze koken er om de beurt, Felicia's vader, haar moeder en Felicia. Felicia mag zelf weten wat ze kookt. Dus eten ze meestal friet. Felicia hoeft haar speelgoed niet te delen met twee kleine zusjes. En ze hoeft niet altijd de verstandigste te zijn. Ze is enig kind. De oudste en de jongste tegelijk.

Frank loopt de trap op en gaat zijn kamer binnen. Hij zou natuurlijk niet met Felicia willen ruilen. Maar het zou mooi zijn als zijn moeder wat minder streng werd.

Het is woensdagmiddag. Frank en Felicia zitten in de hut in de kastanjeboom. Frank heeft die hut ooit gemaakt omdat hij gek werd van zijn zusjes. Zijn vader heeft hem geholpen. Het is een mooie hut geworden, met een dak van zinkplaat. Onderaan de boom hangt een wit bord met een rode rand. Er staan twee kleine meisjes op getekend. Verboden voor zusjes, betekent dat.

Frank kijkt naar het formulier dat Felicia heeft opgehaald. 'Tjonge,' zegt hij, 'die mevrouw heeft wel veel honger 's morgens. Heb je gezien wat ze allemaal wil? Een ei, havermout, twee broodjes, een pannenkoek, knakworstjes, een banaan... Mijn oma eet nooit zoveel.'

'Jouw oma? Die is ontzettend dik, man! Ik zou ook niet veel eten als ik zo dik was!'

'Mijn oma is niet dik!' zegt Frank verontwaardigd. 'Ze is gewoon een beetje...'

'Vet', zegt Felicia.

'Niet waar.'

'Wel waar, man! Ze kon bijna niet door de deur!'

'Wat een onzin! Ze kon makkelijk door de deur! Ze kon alleen niet zo makkelijk meer uit die stoel komen.'

'Omdat-ie aan haar vast bleef zitten. Nou, dan ben je toch dik?'

Frank doet zijn armen over elkaar. Boos kijkt hij voor zich uit.

'Oké,' geeft Felicia toe, 'dan is ze niet dik. Maar in elk geval, ik weet zeker dat die mevrouw heel dun is. Dat ze daarom zoveel honger heeft 's morgens. Het is vast een heel hongerige, magere bejaarde. Wedden?'

Frank grinnikt tegen wil en dank. 'Oké. Als je gelijk hebt, doe ik de afwas.' Ineens schiet hem wat te binnen. 'Hé, Felies! Heb jij wel eens havermout gemaakt?'

'Havermout?' Felicia schudt haar hoofd. 'Nee. Heb ik zelfs nog nooit gehad. Jij?'

'Ja. Mijn moeder maakt dat wel eens.'

'En?'

Frank haalt zijn neus op. 'Het is nogal slijmerig. Met harde stukjes erin.'

'Bah! Lust je dat?'

'Nee, ik niet. Maar sommige mensen vinden het lekker.'

'Ik wou dat ze yoghurt had gekozen.'

'Ja. Ik ook. En pannenkoeken, heb je die wel eens gemaakt?'

'Tuurlijk. Pannenkoeken maken is makkelijk.'

Frank gaat ineens rechtop zitten. 'Hé, maar Felies... hoe komen we aan al die dingen? Broodjes en een ei, sinaasappelsap en een banaan! Die moeten we dan eerst kopen, natuurlijk! En we hebben nog helemaal geen geld!'

Felicia haalt haar schouders op. 'O, dat vragen we gewoon aan mijn moeder. Geen probleem. We hebben altijd broodjes in de diepvries. En bananen en eieren hebben we ook altijd. Maar havermout... ik denk niet dat we dat hebben.'

'Dat hebben wij wel.'

'Goed, dan zorg jij voor de havermout.'

'Oké.'

'Hé!' zegt Felicia ineens. 'Waar gaan we dat eigenlijk klaarmaken? Die havermout en de thee en zo? Thuis of bij die mevrouw?'

Frank trekt een rimpel in zijn voorhoofd. 'Laten we dat maar bij die mevrouw doen. Anders is het al koud voor we er zijn. Ze zal toch wel een gasfornuis hebben?'

'Tuurlijk.'

'Oké. Dat is dan geregeld.' Frank laat zich uit de boomhut zakken. 'Maak jij een lijstje van alles wat we nodig hebben. Dan ga ik drinken en koekjes voor ons halen.'

4. Gefeliciteerd

Met volle rugzakken fietsen Frank en Felicia op zaterdag-morgen naar de Tramstraat.

'Heb jij de slingers?' vraagt Felicia.

'Ja', zegt Frank. 'Mijn moeder vond het wel een beetje raar, geloof ik. Dat ik slingers nodig had.'

'Heb je het nog steeds niet verteld, dan? Van onze ontbijtclub?'

Frank haalt zijn schouders op. 'Nee. Nog niet. Moest dat dan?'

'Je hebt toch wel gevraagd hoe je havermout moet maken, hè?'

'Nee.'

'Wát?' Felicia kijkt hem ontzet aan.

'Wat zeur je nou!' zegt Frank geërgerd. 'Alsof het zo moeilijk is, havermout. Je doet gewoon melk in de pan. En havermout en suiker. En dan moet het koken. Geen kunst aan.'

'Man! Waarom vertel je het niet gewoon? Dat snap ik nou echt niet! Je hebt zo'n aardige moeder! Die vindt dat toch niet erg?'

'Ach, ik weet niet', zegt Frank. 'Ze is wel aardig hoor, mijn moeder. Maar...'

'Maar wat?'

'Nou, je weet maar nooit. Straks mag het weer niet.'

'Ik heb het wel verteld hoor', zegt Felicia. 'Mijn moeder vond het een goeie. En mijn vader ook.' Ineens grijpt ze Franks arm beet. 'Hé, had je al gezien dat we weer een mailtje hebben?'

'Echt?' Frank valt bijna van zijn fiets van verbazing.

Felicia lacht. 'Van mijn moeder. Mijn vader is over drie weken jarig. En dan moeten we een ontbijt voor hem verzorgen.'

Ze rijden de Tramstraat in. Eigenlijk is het meer een paadje dan een straat. Er is niet eens plaats voor een stoep langs de huizen. Nummer vijf... Ja, daar is het. Een klein, oud huisje. Het staat direct aan de straat en heeft geen voortuin. Maar aan de zijkant is een plaatsje vol met bloeiende planten in potten. Frank zet zijn fiets tegen de muur. Felicia zet haar fiets ertegenaan. Ze lacht naar hem. 'Spannend hè?'

Frank knikt. Hij loopt naar de verveloze, groene deur. Hij aarzelt even. Dan drukt hij op de bel. Het blijft een hele poos stil in het huis. Frank belt nog een keer aan. Nu hoort hij wat. Boven zijn hoofd gaat een raam open. Een grijs dametje steekt haar hoofd naar buiten.

'Ja?' zegt ze verbaasd.

'Eh...' begint Frank. Hulpzoekend kijkt hij naar Felicia.

'Van harte gefeliciteerd, mevrouw', roept Felicia naar boven. 'Wij zijn van de ontbijtclub. Wij komen een ontbijt voor u maken.'

'Wat zeg je?' zegt de oude mevrouw niet-begrijpend.

'Een ontbijt!' schreeuwt Felicia. 'Voor uw verjaardag. Kunt u even opendoen?'

'Momentje. Ik kom eraan. Even wat...' Het raam gaat met een klap dicht. De rest van haar woorden is niet te verstaan.

'Ik vraag me af of ze het begrepen heeft', zegt Frank.

'Tuurlijk', zegt Felicia. 'Het was zo duidelijk als wat.'

Er wordt een grendel weggeschoven, en nog een. Een sleutel wordt omgedraaid. Eindelijk gaat de deur op een kiertje open. Frank ziet een oog met een bril ervoor.

'Goedemorgen, mevrouw De Groot,' zegt hij beleefd, 'en hartelijk

gefeliciteerd met uw verjaardag. Mogen we binnenkomen? Uw zoon heeft ons ingehuurd.'

'Mijn zoon?' zegt mevrouw De Groot achterdochtig. 'Wat moeten jullie met mijn zoon? Die woont hier niet meer. Al dertig jaar niet meer.'

'Nee, maar hij heeft ons gemaild. Wij hebben een ontbijtclub, snapt u. Wij maken ontbijten voor mensen die jarig zijn. En uw zoon heeft gevraagd of we u een ontbijt wilden brengen. Dus hier zijn we.'

'Zozo. Jullie vinden het toch niet erg dat ik...'

De deur gaat weer dicht. Er klinken schuifelende voetstappen in de gang.

'Wat zou ze doen?' vraagt Felicia.

'Geen idee.' Frank gaat voor het raam staan. Hij probeert door de vitrage naar binnen te kijken. Daar ziet hij haar. Een klein vrouwtje in een roze ochtendjas. Ze heeft een telefoon in haar hand.

'Ik geloof dat ze aan het bellen is', zegt hij.

'Nee hè!' Felicia kijkt bezorgd. 'Zou ze de politie waarschuwen? Misschien denkt ze wel dat we misdadigers zijn! Dat we haar willen beroven of zo.'

'Ik weet niet... O, wacht! Ze heeft de telefoon neergelegd. Ze komt eraan.'

'Kom maar binnen hoor', zegt mevrouw De Groot. Ze ziet er nog een beetje slaperig uit. Haar korte grijze haar staat alle kanten op. 'Ik moest even controleren of het waar was. Je hoort tegenwoordig zulke rare dingen. Al die inbraken de laatste tijd. Je moet voorzichtig zijn als vrouw alleen.'

'Natuurlijk', zegt Frank snel. 'Je weet maar nooit.'

'Maar wij stelen niet hoor', zegt Felicia.

Mevrouw De Groot glimlacht. 'Nee, dat begrijp ik. Jullie zijn lieve kinderen. Een verjaardagsontbijt... Wat een aardig idee van mijn zoon.' Ze steekt haar hand uit naar Frank. 'Jij bent...?'

'Frank Hamelink', zegt Frank. Hij schudt de magere hand van mevrouw De Groot. 'Van harte gefeliciteerd met uw verjaardag.'

'En ik ben Felicia Montero', zegt Felicia. 'Nog vele jaren. Waar is de keuken?'

5. Havermout

Frank staat boven op de tafel met een slinger in zijn hand. Hij probeert hem aan de lamp vast te maken. Maar dan ineens hoort hij Felicia gillen. 'Frank! Help!'

Hij laat de slinger vallen en springt van de tafel af. Als hij naar het kleine keukentje rent, ruikt hij het al. Aangebrande havermout. Wat een stank. Verschrikkelijk! Snel draait hij het gas uit. Met een vies gezicht kijkt hij in de pan. Zaten die zwarte stukjes er zonet ook al in?

Felicia werpt een blik op de havermout. Ze griezelt. 'Wat ziet dat er smerig uit!' zegt ze.

'Dat valt anders best wel mee hoor', zegt Frank beledigd. 'Met een beetje extra suiker proef je er niks van. Jij weet gewoon niet hoe havermout hoort te ruiken.'

Hij trekt deurtjes open, op zoek naar borden. Ha, daar! Een kom. Hij giet de havermout erin en strooit er flink veel suiker over. Zo. Niks meer te zien van die zwarte stukjes.

Hij zal zo wel even dat gasfornuis moeten schoonmaken. Wat een smerige bende. Ineens valt zijn oog op een pannetje waarin een ei dobbert. 'Dat ei,' zegt hij, 'hoe lang kookt dat al?'

'Ik weet niet', zegt Felicia. Ze is bezig met het beslag voor de pannenkoek. 'Een minuut of vijf, denk ik. Moest het nou hard of zacht zijn?'

'Zacht.'

'Zou het lang genoeg zijn, vijf minuten?'

'Ik weet niet hoor. Laat nog maar even doorkoken. Stel je voor dat het nog niet gaar is. Van rauw ei kun je enge ziektes krijgen. Lukt het verder? Ik moet even verder met die slingers.'

'Ga maar', zegt Felicia. Ze heeft een veel te groot schort aan. En ze zit onder de bloem. 'Het beslag is klaar. Ik moet alleen die stukjes eierschil eruit zien te krijgen. Waar is mevrouw De Groot?'

'Die is boven. Ik denk dat ze zich aan het douchen is of zo.'

'Oude mensen douchen niet', zegt Felicia. Ze blaast een krul uit haar gezicht. 'Die wassen alleen hun armen en hun gezicht. Trouwens,' met een glimlach draait ze zich om naar Frank, 'zag je hoe mager ze was?'

Frank rolt met zijn ogen. 'Oké. Je had gelijk. Ik doe de afwas. Maar ik ga eerst even verder met versieren, als je het niet erg vindt.'

Frank hangt de slingers op, versiert een stoel en dekt de tafel.

'Klaar!' roept Felicia. Ze komt aanlopen met een bord met een pannenkoek.

'Hij is nogal aan elkaar gekleefd', zegt Frank. 'En wat is dat?' Hij wijst naar de scherpe witte randjes die uit de pannenkoek steken.

'Eierschil.'

'Eierschil?'

Felicia haalt haar schouders op. 'Ja, dat stomme ei brak niet goed. Maar het geeft niks. Eierschil is gezond, heb ik gehoord. Er zit kalk in. Heel goed voor oude mensen. Weet je wat, ik doe er wel wat extra stroop over. Dan ziet ze het niet.'

'Hé!' herinnert Frank zich ineens. 'Het ei! Heb je dat al uit het water gehaald?'

Felicia slaat haar hand voor haar mond. 'O nee! Helemaal vergeten. Het heeft wel een kwartier gekookt!' Ze rent terug naar de keuken.

Frank gaat achter haar aan. Het ei is opengebarsten in de pan. Kleine witte bolletjes drijven rond in het water.

'Nou ja,' zegt Felicia, terwijl ze de pan in de gootsteen zet, 'ze kan er in elk geval niet ziek meer van worden.'

Frank pakt het bord met havermout. Hij steekt zijn vinger erin.

'Wat doe je nu!' roept Felicia.

'Even voelen of het niet te heet is. Doet mijn moeder ook altijd.'

'Proef eens.'

Met een vies gezicht likt Frank zijn vinger af.

'En?'

Frank neemt snel een slokje water om de smaak weg te spoelen.

'Heerlijk', zegt hij. 'De beste havermout die ik ooit gemaakt heb.'

'Tjongejonge', zegt mevrouw De Groot. Ze gaat op haar versierde stoel zitten. Dan kijkt ze naar alles wat er op tafel staat. Een enorme pot thee. Een pakje sinaasappelsap. Een kom havermout. Een bord met een pannenkoek. Een broodje met jam. Een broodje met kaas. Een banaan. Een ei. Tien knakworstjes. 'Wat een luxe ontbijt! Maar ik denk niet dat ik dat allemaal op kan. Ik eet nooit zoveel. Kunnen jullie me niet helpen?'

'Helpen?' zegt Felicia.

'Ja, zet twee extra bordjes neer. Eet gezellig mee.'

'Eh... ik heb al gegeten', zegt Frank snel.

'Ik ook', zegt Felicia. 'En trouwens, u kunt wel een stevig ontbijt gebruiken. Maar we willen wel voor u zingen, natuurlijk. Lang zal ze leven.'

'Zo Frank', zegt moeder, als hij de keukendeur binnenkomt. Ze is bezig met een appeltaart. 'Wat hoor ik nu!'

Frank schrikt. 'Eh... hoe bedoel je?' vraagt hij.

'Nou, ik kwam zo straks Felicia's moeder tegen in de winkel. Ik stond naar de advertenties te kijken, en ze kwam naar me toe en zei: 'Mooie advertentie hebben ze gemaakt, hè?' Ik had geen idee waar ze het over had. En toen wees ze dat kaartje van jullie aan. Waarom heb je ons niets verteld?'

Frank slaat zijn ogen neer. 'Sorry', zegt hij. 'Ik wou het je wel vertellen. Maar ik durfde het niet zo goed.'

Moeder trekt een grote zak appels open. Ze pakt een mesje uit de keukenla. 'Daar snap ik nou niks van', zegt ze. 'Zijn wij dan zó streng, papa en ik?'

Frank hijst zichzelf op het aanrecht. 'Nou ja,' zegt hij, 'niet zó streng. Maar wel een beetje. Ik was bang dat jullie het niet goed zouden vinden.'

'Wát niet goed zouden vinden?'

'Nou, dat we geld verdienen en zo.'

'Oké,' zegt moeder, 'waarom leg je me niet gewoon alles uit?'

Frank haalt diep adem. 'Nou, we willen een band gaan beginnen, Felicia en ik.'

Moeder kijkt verbaasd opzij. 'Wat? Een band? Wat voor band?'

'Een muziekband, natuurlijk.'

'Aaaha,' zegt moeder langzaam, 'een muziekband. Juist.'

'Ja, en dus hebben we muziekinstrumenten nodig. Een elektrische gitaar en een drumstel en zo.'

'En daar hebben jullie geld voor nodig', begrijpt moeder. Ze pakt een nieuwe appel uit de zak en begint snel te schillen.

'Ja. Tuurlijk. Om instrumenten te kunnen kopen. Dat is toch veel beter dan dat we jullie erom vragen?'

Moeder grinnikt. 'Van mij had je inderdaad niet zomaar een

drumstel gekregen. Dat klopt wel. Enne... wat kost zo'n ontbijt?'
'Vijf euro.' Frank kijkt zijn moeder van opzij aan.
'Vijf euro? Hallo zeg!' Moeder laat haar appel zakken. 'En waar halen jullie de spullen vandaan voor dat ontbijt?'
'Eh... het meeste bij Felicia. Maar ik heb wel wat havermout van ons geleend vanmorgen.'
Moeder is even stil. Ze snijdt de appel in vieren en haalt het klokhuis eruit. Dan draait ze zich om naar Frank. Ze glimlacht. 'Goed. Ik vind het prima dat jullie zoiets doen. Maar voortaan kopen jullie zelf de spullen die je nodig hebt. Van jullie eigen geld. En ik wil ook van tevoren weten naar wie jullie toe gaan. En wat het adres is. Je weet maar nooit. Afgesproken?'
Frank knikt opgelucht. 'Afgesproken. En mam...'
'Ja?'
'Kun je mij leren hoe je havermout moet maken? Want daar ben ik nog niet zo goed in, geloof ik.'

6. Beroofd

Het is woensdagmiddag. Frank staat voor de deur van mevrouw De Groot. Hij heeft weinig zin in dit klusje. Wat zal mevrouw De Groot zeggen als ze hem ziet? Zo heel lekker was het ontbijt niet. Maar hij kan er niet onderuit. Ze hebben het eerlijk afgesproken. Felicia haalt vanmiddag het geld op bij de zoon van mevrouw De Groot. En hij haalt de slingers op. Ze hebben ze trouwens al weer bijna nodig. Zaterdag hebben ze een nieuwe klant.

Voor hij zich kan bedenken, drukt Frank op de bel. Het duurt nog langer dan de vorige keer. Hij wil al bijna weer weggaan, als de deur op een kiertje opengaat. Mevrouw De Groot kijkt hem aan van achter de ketting.

'Hallo!' zegt Frank.

'Ja?' zegt mevrouw De Groot met een beverige stem.

'Ik ben het!' zegt Frank. Herkent ze hem niet meer? 'Frank. Frank Hamelink. Van de ontbijtclub. Ik kwam de slingers weer ophalen.'

Het blijft even stil. 'O, de jongen van de havermout', zegt mevrouw De Groot dan eindelijk. 'Kom maar binnen.' Ze schuift de ketting weg en doet de deur open. Ze kijkt eerst naar links en rechts. Pas dan laat ze Frank binnen. Snel duwt ze de deur achter hem dicht, doet hem op slot en schuift er drie grendels voor.

'Is alles goed met u?' vraagt Frank. Hij loopt achter mevrouw De Groot aan naar de kamer. Hij snapt er niets van. Waarom doet ze zo vreemd? Waarom doet ze overdag al die grendels voor de deur? En waarom zijn de gordijnen nog steeds dicht?

Mevrouw De Groot gaat in haar leunstoel bij het raam zitten. Ze ziet er slecht uit. Ze heeft diepe wallen onder haar ogen, ziet Frank. Haar handen trillen.

'Ik... ik ben gisteren beroofd.' Ze wrijft met haar handen over haar rok.

Frank kijkt haar met grote ogen aan. 'Beroofd? Is er ingebroken?'

'Nee! Het was een truc! Een aardige, nette jongen. Hij zei dat hij van het gasbedrijf was. Dat er een gaslek was, verderop in de straat. En dat hij de boel moest afsluiten. Ik geloofde hem! Ik was bezig in de keuken, en ik liet hem maar gewoon zijn gang gaan. Ik zei: 'Je komt er zelf wel uit, hè?'

Ze lacht bitter. 'Nou en of hij er zelf uit kwam. Met mijn geld. En met de gouden armband die ik van mijn man had gekregen. Het geld vind ik nog niet het ergste. Maar die armband...' Ze schudt haar hoofd. 'De namen van de kinderen staan erin gegraveerd. Hij is onvervangbaar voor mij. Mijn man is vorig jaar overleden, zie je.'

'Wat erg', zegt Frank. Hij voelt een machteloze woede in zich opkomen. Wat ontzettend gemeen om zo'n oude vrouw te beroven! 'En toen?'

Mevrouw De Groot zucht. Ze staart naar de muur. 'Toen ik het ontdekte, was hij allang weg natuurlijk. Ik had eerst niets in de gaten. Pas toen ik boodschappen wilde doen, ontdekte ik het. Mijn portemonnee zat niet meer in mijn tasje. Ik heb overal gezocht. In de gang, in de kamer, in de keuken. Ik had nog steeds niets door. Ik dacht dat ik gewoon vergeetachtig aan het worden was. Maar toen kwam ik boven. En toen ontdekte ik wat er gebeurd was. Alles was overhoop gehaald.' Ze schudt haar hoofd. 'Alles! De kasten, de laden. Alles lag over de vloer. Verschrikkelijk. Dat die man aan mijn spullen heeft gezeten. En het leek zo'n keurige jongen. Zo zie je maar. Je kunt niemand meer vertrouwen, tegenwoordig.' Ze huivert. 'Ik ben bang in mijn eigen huis. Ik heb vannacht geen oog dichtgedaan.'

'Hebt u de politie ook gebeld?'

'Natuurlijk. Ze zeiden dat ik al het zoveelste slachtoffer was. De ene keer doet hij alsof hij monteur is. En dan weer alsof hij de meteropnemer is. Of iemand van het gasbedrijf. Heel veel mensen trappen erin. Ik moest maar aangifte komen doen, zeiden ze. Maar wat heb ik daaraan? Mijn armband zie ik nooit meer terug.' Mevrouw De Groot draait aan de gouden ring die aan een kettinkje om haar hals hangt. Ze ziet er verslagen uit.

Frank weet niet wat hij moet zeggen. Maar mevrouw De Groot gaat al weer verder.

'En het leek zo'n keurige jongen. Heel gewoon. Helemaal niet wat ik me bij een dief voorstelde. Hè, nu vergeet ik helemaal om een kopje thee voor je te maken. Neem me niet kwalijk. Ik ben ook zo van slag.'

'O, maar dat is echt niet nodig', zegt Frank. 'Ik kwam alleen voor de slingers.' Hij springt op en gaat aan het werk. Binnen vijf minuten heeft hij alles opgeruimd. Hij stopt de slingers in zijn tas. Dan kijkt hij op. Hij zou willen dat hij deze mevrouw kon helpen. Maar hoe?

'Kan ik verder nog wat voor u doen?' vraagt hij. 'Afwassen of zo? Of eh... de ramen lappen?'

Mevrouw De Groot glimlacht. 'Heel lief van je. Maar dat hoeft niet hoor. Ik red het verder best. Maar als je een kopje thee met

me zou willen drinken... Dat zou ik heel fijn vinden.'
'Nou, graag', zegt Frank, die helemaal niet van thee houdt. 'Een kopje thee, dat zou heerlijk zijn.'

7. Professor Tijger

Het is zaterdagochtend, kwart voor acht. De zon schijnt en het is al flink warm. Frank en Felicia zijn op weg naar de Wilhelminalaan. Daar wonen professor en mevrouw Van Laeren, hun nieuwste klanten. Mevrouw Van Laeren viert vandaag haar vijftigste verjaardag. Professor Van Laeren heeft vier ontbijten besteld. 'Niet dat mijn vrouw zoveel eet,' heeft hij op het bestelformulier geschreven, 'maar mijn zoons en ik lusten wel wat. Graag een grote kom havermout voor mijn vrouw. (Daar wil ik haar cadeautje in verstoppen.)'

'Een groot huis, joh!' zegt Felicia, die het bestelformulier heeft opgehaald. 'Echt, man! En een hele grote tuin, met allemaal rare beelden erin. Ze zijn vast heel rijk. Dat ze ook zomaar vier ontbijten besteld hebben. Tjonge, twintig euro uitgeven voor een ontbijt!'

'Wel wat veel, hè', zegt Frank. 'Misschien kunnen we er beter tien euro van maken.'

'Ben je nou helemaal!' roept Felicia. 'We waren gisteren al bijna tien euro aan boodschappen kwijt! Ben je dat soms vergeten?'

'Nee! Maar ik vind twintig euro wel heel erg veel. We hoeven ze toch niet uit te buiten!'

'We buiten ze niet uit! Ze hebben geld genoeg! En trouwens, wil je nou een drumstel of niet! Hier naar rechts.'

Ze rijden de sjieke buurt van het dorp binnen. Brede lanen met oude bomen aan weerszijden. De huizen zijn er groot, en de tuinen zijn nog veel groter. Je moet heel rijk zijn om er te kunnen wonen.

'Hier is het', wijst Felicia. Frank remt af en kijkt vol ontzag naar het enorme landhuis. Het heeft wel vier verdiepingen. Aan weerszijden heeft het kleine torentjes. Om het huis heen ligt een groot grasveld. Frank rijdt de oprijlaan op. Is hij even blij dat hij hier niet woont. Stel je voor dat je hier het gras moet maaien!

Hij zet zijn fiets tegen het huis en belt aan. Het blijft een hele poos stil. Maar dan hoort hij iemand de trap afkomen. Een lange, magere jongeman doet open. Hij ziet eruit alsof hij net uit bed gerold is. Zijn blonde haar staat alle kanten op en hij draagt alleen een spijkerbroek. 'Ja?' informeert hij nors.

'Wij zijn van de ontbijtclub', zegt Frank.

De jongen kijkt hem vermoeid aan. Hij wijst naar de deur. 'Kun je dat bordje niet lezen? Wij doen niet aan liefdadigheid.'

'Maar wij wel', zegt Felicia snel. 'Wij komen een ontbijt voor jullie maken.' Ze steekt haar hand uit. 'Hartelijk gefeliciteerd met je moeder.'

'Huh?' De jongen schudt Felicia's hand. 'Mijn moeder?'

'Ja. Die is toch jarig?'

De jongen gaapt. Hij lijkt diep na te denken. 'O. Is ook zo. Nou, kom maar binnen, dan.'

'Waar is de keuken?'

De jongen wijst met zijn duim over zijn schouder. Langzaam sjokt hij de trap weer op.

Felicia trekt haar wenkbrauwen op. 'Vrolijke boel', fluistert ze.

'Nou!' fluistert Frank terug. 'Ze zijn hier echt in een feeststemming.' Hij doet de deur naar de keuken open. Het verschil met het kleine keukentje van mevrouw De Groot is enorm. Dit is een grote, lichte ruimte, vol moderne apparaten. Boven het aanrecht zit een groot raam waardoor je de tuin in kunt kijken.

'Moet je zien', fluistert Felicia. Ze wijst naar een paar vreemd gevormde planten die in de vensterbank staan. 'Vleesetende planten!'

'Vleesetende planten?' zegt Frank. Hij buigt zich over het aanrecht heen om beter te kunnen kijken. 'Weet je het zeker?'

'Pas op!' Felicia trekt hem snel weg. 'Steek je neus er niet tussen, man! Straks ben je hem kwijt! Zie je die kaken niet? Die klappen dicht als je er iets tussen stopt!'

Frank lacht. 'Ja, en dan bijten ze mijn neus af. Vast wel. Kom op, we moeten aan het werk. Negen uur zouden we klaar zijn.'

Ze pakken hun tassen uit op het aanrecht. Melk, eieren, broodjes, havermout, yoghurt, fruit... Felicia gaat op zoek in de kastjes. Ze haalt een beslagkom te voorschijn, een mixer en een koekenpan. 'Vier pannenkoeken, een zachtgekookt ei, een hardgekookt ei en twee gebakken eieren', zucht ze. 'Als dat maar goed gaat. Zou hier ook ergens een kookwekker zijn?' Ze blaast het haar uit haar gezicht. 'Pfff. Ik heb het nu al warm!'

Frank trekt een keukenla open. 'Een kookwekker, zei je? Hier.' Hij zet hem op het aanrecht neer. 'Ik ga eerst de slingers doen, oké?'

Hij loopt naar de zitkamer. Het ziet er onberispelijk uit. Maar ook heel ongezellig, vindt hij. Witte bankstellen, een enorme breed-beeldtelevisie, een glazen eetkamertafel. Grote schilderijen aan de muur. Een kolossale zwarte piano, midden in de kamer.

Welke stoel zal hij versieren? Waar zou mevrouw Van Laeren zitten? Op goed geluk kiest hij er een uit. Hij versiert hem met de stoelslingers. Daarna hangt hij de gewone slingers op. Kritisch kijkt hij naar het resultaat. Echt gezellig is de kamer nog steeds niet. Maar je kunt in elk geval zien dat er iemand jarig is.

Hij gaat terug naar de keuken. Het is tijd om aan de havermout te beginnen. Zijn moeder heeft het hem precies uitgelegd. Hij heeft zelfs een keer geoefend. Als hij er gewoon bij blijft en flink roert, moet het goed gaan.

Felicia ziet er verhit uit. Ze is in een hevig gevecht gewikkeld met de mixer. Het beslag spat alle kanten op.

'Gaat het?' schreeuwt Frank boven het geraas uit.

'Wat?' roept Felicia terug.

'Laat maar.' Frank zoekt in de keukenkastjes. Hij haalt een pan en een maatbeker te voorschijn. Voorzichtig meet hij twee deciliter melk af en giet het in de pan.

'Mooi beslag, hè?' zegt Felicia tevreden. Ze houdt de beslagkom op.

'Heel mooi', zegt Frank. 'En jij trouwens ook. Heb je jezelf al bekeken? Je lijkt wel een dalmatiër met al die witte vlekken.'

'Dalmatiërs hebben zwarte vlekken. Waar is de olie? O, daar. Mag ik deze pit?'

Felicia zet de koekenpan op het vuur. Ondertussen weegt Frank de havermout en de suiker af. Voorzichtig laat hij het mengsel in de kokende melk glijden. Onder het roeren voelt hij de havermout dikker worden. Zie je wel, zo gaat het prima. En die pannenkoek van Felicia ziet er ook heel aardig uit. Ze leren het wel!

Dan ineens gaat de deur achter hen open. 'Mag ik even weten wat hier aan de hand is?' klinkt een afgemeten vrouwenstem.

Frank draait zich verschrikt om. In de deuropening staat een oudere dame. Ze is gehuld in een bijna doorzichtige ochtendjas, en ziet er niet bepaald vriendelijk uit. 'Wie zijn jullie? Wat doen jullie in mijn huis? In mijn keuken? Josias! kom onmiddellijk hier! indringers!'

Er klinken haastige voetstappen op de trap. Een kleine, dikke meneer komt de keuken binnen. Hij draagt een pyjama met tijgerprint. Zijn bolle gezicht straalt. 'Een verrassing voor je verjaardag, lieverd! Je zei toch dat ik nooit meer iets romantisch bedacht? Nou, ik heb speciaal voor jou een verjaardagsontbijt geregeld!'

'Een verjaardagsontbijt?' Mevrouw Van Laeren kijkt verbijsterd. 'En je laat die kinderen gewoon mijn keuken afbreken? Kijk nou, wat een zooi! Nou, als je maar niet denkt dat ik dit ga schoonmaken! Tjongejonge. Wat een romantisch idee!'

Frank steekt zijn hand uit. 'Van harte gefeliciteerd met uw verjaardag, mevrouw.'

Onwillig schudt mevrouw Van Laeren zijn hand. Dan trekt ze haar neus op. 'Wat stinkt hier zo?' zegt ze.

Met een ruk draait Frank zich om naar het gasfornuis. Hij kreunt als hij naar de pan met overborrelende havermout kijkt. Nee! Aangebrand!

8. Parelketting

De twee zoons vallen meteen aan op de worstjes. De professor zit met smaak een broodje kaas te eten. Maar mevrouw Van Laeren hoeft niets. De havermout stinkt. Het ei is te zacht. Het broodje te hard. De pannenkoeken zijn te vet. Het sinaasappelsap is niet vers. De koffie te slap. Nee. Ze hoeft er niets van. Niets, niets, niets!

'En moeten jullie mij zo aanstaren?' vraagt ze aan Frank en Felicia. Ze wuift met haar hand in de richting van de keuken. 'Gaan jullie liever die troep daar schoonmaken. En haal eerst die verschrikkelijke slingers weg!'

'Natuurlijk mevrouw', zegt Felicia beleefd. 'De klant is koning. Ik bedoel koningin.' Ze knipoogt naar Frank. Die rolt met zijn ogen van ergernis. Maar hij klimt toch maar op een stoel om de slinger weer los te halen.

'Niet op die stoel!' roept mevrouw Van Laeren boos. Ze springt op. 'Nota bene! Je gaat toch zeker niet op een Mondriaan staan! Het idee!' Ze zwaait met haar rechterhand. 'Hup, hup! Haal even een trapje uit de keuken.'

Tjongejonge, denkt Frank. Hij springt van de stoel af. Wat een vreemde familie. Ze geven de stoelen zelfs namen. Zouden ze er ook tegen praten? In zichzelf grinnikend loopt hij naar de keuken. Maar mevrouw Van Laeren roept hem terug.

'Zeg, jongen!'

Frank kijkt om. 'Ja?'

'Jongen, neem die havermout mee terug naar de keuken. Ik kan de stank niet verdragen.'

Frank haalt diep adem. Hij zal haar eens wat zeggen. Hij is haar bediende niet! Maar op dat moment grijpt de professor in.

'Toe, lieve', zegt hij. Hij legt zijn hand op die van zijn vrouw. 'Probeer die havermout nou!' Snel neemt hij er zelf een hapje van. 'Heerlijk! Jaren geleden dat ik dat gehad heb!'

'Ik lust geen havermout', snauwt mevrouw Van Laeren. 'Ik verafschuw havermout. Ik háát havermout. En helemaal dit aangebrande spul. Kijk nou! Er zitten zwarte stukjes in! En klonten! En heb je het al geroken? Het stinkt! Je denkt toch niet dat ik dit ga eten?'

'Lieve, alsjeblieft! Een hapje maar! Om die kinderen een plezier te doen. Om míj een plezier te doen.'

Mevrouw Van Laeren draait met haar ogen. Ze zucht. Ze perst haar lippen op elkaar. En ze doet niets. Tot een van haar zoons geïrriteerd opmerkt: 'Schiet op, ma. Zo erg is het niet. Doe pa een plezier en neem een hap.'

Mokkend steekt mevrouw Van Laeren haar lepel in de kom met havermout. Met twee vingers knijpt ze haar neus dicht. Dan ineens trekt ze met een vies gezicht iets omhoog. Frank vergeet helemaal om naar de keuken te gaan. Wat hangt er voor smerig ding aan die lepel? Een ketting?

Mevrouw Van Laeren laat de ketting in haar glas met sinaas-appelsap zakken. En als ze hem eruit haalt, ziet Frank wat het is. Een parelketting.

Mevrouw Van Laeren geeft een gilletje van blijdschap. 'Josias!' roept ze. 'Liefste! Wat een verrassing! Mijn liefste wens! Dat je dat onthouden hebt!'

'Je gaf me weinig kans om het te vergeten', zegt de professor.

Mevrouw Van Laeren kust haar man op de wang. 'Dank je wel, lieveling.'

'Graag gedaan, lieve.' De professor geeft zijn vrouw een kus op haar voorhoofd. 'Graag gedaan.'

Frank verdwijnt met de resten van het ontbijt naar de keuken. Wat een slagveld. Nu ziet hij pas hoe erg het is. Het aanrecht, het gasfornuis, de vloer... Alles zit onder het beslag. De tegels zijn bespat met eigeel. De havermoutpan is zwartgeblakerd. Hij slaakt een diepe zucht. Hoe krijgen ze dat allemaal ooit weer schoon?

Felicia is al bezig. Ze heeft een schort omgedaan. Met een kaasschaaf schraapt ze het beslag van de keukenkastjes.

Frank laat een teiltje vollopen met heet water. Hij doet er een flinke scheut afwasmiddel in.

'Hé, waar blijft de koffie?' hoort hij een van de zoons vanuit de kamer roepen.

'Heeft hij het tegen ons?' zegt Felicia.

'Geen idee', zegt Frank. Hij laat de borden in het sop zakken.

'Hé! Hallo! Waar blijft die koffie?'

Frank kijkt om een hoekje van de keukendeur. De twee zoons hangen voor de tv. Ze kijken naar MTV.

'Hèhè', zegt de een, als hij Frank ziet. Het is de jongen die de voordeur voor hen heeft opengedaan. 'Komt-ie eindelijk aankakken. Kan het wat sneller, alsjeblieft? We moeten zo weg.'

Frank stapt de kamer in. Hij recht zijn rug. 'Wij zijn nu aan het schoonmaken', zegt hij. 'Dus als u zelf even koffie zou willen zetten?'

De jongen zet het geluid van de tv uit. Hij draait zich om naar

Frank. Hij kijkt hem stomverbaasd aan. 'Pardon?' zegt hij hooghartig. 'Hoor jij wat ik hoor, Freddie?'

Zijn broer knikt. 'Ik hoor het, Barry.'

'Meneer voelt zich te goed om koffie voor ons te maken.'

'Helemaal niet!' zegt Frank boos. 'Ik zeg alleen...'

Dan wordt hij bijna omvergeduwd door Felicia. Ze stormt de kamer in. Voor de bank blijft ze staan, haar handen in haar zij. 'Moeten jullie eens even goed luisteren!' zegt ze. Haar ogen fonkelen van woede. 'Die koffie, die zetten jullie zelf maar! En als jullie een beetje normaal konden nadenken, dan zouden jullie helpen met afwassen, in plaats van op je luie... luie...'

'Wat is hier aan de hand?' klinkt de koele stem van mevrouw Van Laeren. Ze komt de kamer in, gekleed in een geel mantelpakje.

'O, niets, mama', zegt Barry. 'Dat kleine zwartje is nogal gauw aangebrand.' Hij stoot zijn broer aan. 'Hoor je dat, Freddie? Aangebrand! Lachùùùh!'

'Ik hoor het, Barry. Goeiùùù!'

Mevrouw Van Laeren negeert haar zoons. Ze kijkt Felicia ijzig aan. 'Ik geloof niet dat jullie al klaar waren met de keuken.'

'Precies!' zegt Felicia. 'Dus we hebben geen tijd voor allerlei andere klusjes. Zoals koffie zetten.' Met haar neus in de lucht loopt ze naar de keuken toe. 'Kom mee, Frank', zegt ze. 'We gaan aan het werk.'

9. Afwas

Als de deur van de keuken dicht is, barst Felicia los. 'Wat een stelletje verwende monsters! "Waar blijft mijn koffie?" Pfff! Alsof ze zelf geen handen aan hun lijf hebben. Zouden ze ooit in hun leven de afwas gedaan hebben? Ze zitten daar een beetje voor de tv te hangen en ons te commanderen alsof we slaafjes zijn.'

'Hij noemde jou een klein zwartje!' zegt Frank geschokt. Hij leunt tegen het aanrecht en staart voor zich uit. Hij heeft er nooit bij stilgestaan dat Felicia zwart is. Hij had voor haar moeten opkomen. Ze hebben haar uitgescholden! Waarom heeft hij niks gezegd? Boos pakt hij zijn tas van de vloer. Hij begint zijn spullen erin te gooien. 'Kom mee, Felies', zegt hij vastberaden. 'We gaan hier weg. Ik wil hier niet langer blijven.'

Felicia schudt haar hoofd. 'We maken eerst ons werk af. We doen het niet voor hen. We doen het voor de professor. Dat is volgens mij de enige normale persoon in dit huis.'

Ze legt haar hand op Franks arm. 'Kijk niet zo. Het geeft niet. Zulke mensen weten niet beter. En trouwens... ' Ze spreidt haar armen uit. 'Ik bén ook klein. En zwart. Tadaaa!'

Frank glimlacht tegen wil en dank. Felicia kan er wel een grapje van maken, maar leuk is het niet. Onwillig gaat hij verder met de afwas. Alle lol is er nu wel af.

Ineens gaat de deur open. De professor komt de keuken binnen. Hij heeft zich gelukkig aangekleed, ziet Frank. Een pak staat hem toch beter dan die tijgerpyjama.

'Zo, dat was een heerlijk ontbijt', zegt hij stralend. 'Lang geleden dat ik pannenkoeken heb gehad! Prima gedaan, hoor! Ik zal jullie even betalen.' De professor haalt zijn portemonnee tevoorschijn. Dan kijkt hij verbaasd op. 'Hé! Zijn jullie nog bezig?'

Frank knikt. 'Voorlopig nog wel, ja.'

'Juist, juist. Ik begrijp het.' De professor schraapt zijn keel. 'Eh... dan hebben we een klein probleempje. Mijn echtgenote en ik moeten nu weg. Inkopen doen voor de party. En Barry en Fred moeten naar een hockeywedstrijd. Hoe moet dat nu?'

'Geen probleem', zegt Frank. 'We maken ons werk gewoon af. Als we klaar zijn, trekken we de deur wel achter ons dicht.'

'Nee nee, dat kan niet', zegt de professor. 'Het alarm moet aan. Dat moet van de verzekering. We hebben hier nogal wat kostbaarheden, zie je.'

'O, dan zetten wij het straks toch voor u aan?' zegt Felicia. 'Als u even zegt hoe het werkt?'

De professor heft zijn handen in de lucht. 'Heel aardig, maar dat kan helaas niet. Dat moet ik persoonlijk instellen. Ik mag de code aan niemand anders vertellen.' Hij wipt heen en weer op zijn voorvoeten. 'Hoe lossen we dit op?'

Frank kijkt Felicia vragend aan. Felicia haalt haar schouders op en knikt. 'Als u wilt', zegt Frank aarzelend, 'kunnen we wel hier blijven. Tenminste, als het niet te lang is.'

De professor knippert met zijn ogen. Dan trekt er een glimlach over zijn gezicht. 'O, maar dat zou geweldig zijn! We zijn op zijn hoogst anderhalf uur weg. Zou dat kunnen, wat jullie betreft?'

Frank knikt. 'Als we dan wel even naar huis mogen bellen?'

'Natuurlijk, natuurlijk! Doe of je thuis bent. Jullie kunnen tv kijken of een spelletje doen op de computers. En je haalt maar drinken uit de koelkast. Wacht, ik zal jullie eerst betalen. Voor ik het vergeet.' De professor haalt een paar briefjes van tien uit zijn portemonnee. 'Aan wie moet ik het geven?'

'Aan hem', zegt Felicia. Ze wijst met haar duim naar Frank. 'Ik raak altijd alles kwijt.'

Verbaasd kijkt Frank naar de dertig euro in zijn hand. Hij geeft de professor een briefje van tien terug. 'Vier keer vijf is twintig.'

'Nee nee', zegt de professor. 'Tien euro extra voor de overuren. En voor de goede service.'

Frank schudt zijn hoofd. 'Nee, dat is echt niet nodig. Twintig is genoeg. Dank u wel.'

De professor kijkt verbaasd. 'Weet je het zeker?'

'Heel zeker', zegt Frank.

'Twintig is genoeg', zegt de professor. 'Zeiden mijn zoons dat maar eens. Twintig is genoeg.' Hoofdschuddend verdwijnt hij uit de keuken, het briefje van tien in zijn hand.

Vanuit de keuken hoort Frank mevrouw Van Laeren protesteren. 'Josias! Ben je helemaal gek geworden? Je kunt die kinderen toch niet op ons huis laten passen! Stel je voor dat ze...' Haar stem gaat over in een onverstaanbaar gemompel. Frank kijkt naar Felicia. Een grijns trekt over zijn gezicht. Felicia slaat een hand voor haar ogen.

'Van mij mogen ze weg', klinkt de stem van professor Van Laeren. 'Maar ze zijn nog niet klaar met de keuken. Dus dan moeten we straks zelf even schoonmaken.'

'Ben je nou helemaal!' roept mevrouw Van Laeren. 'Ik ben geen poetsvrouw!'

'Nou, lieve, dan zit er weinig anders op dan dat...'

'Oké, oké', valt mevrouw Van Laeren hem in de rede. 'Maar als ik merk dat er hier iets verdwenen is...'
Felicia begint bijna te briesen van woede. Ze stampt in de richting van de deur. Frank kan haar nog net tegenhouden.
'... niet zo achterdochtig zijn, lieve', hoort Frank de professor zeggen. 'Dat zijn twee aardige, eerlijke kinderen. Wilden niet eens een extra fooi aanpakken. Dat noem ik nog eens karakter. Zal ik je even je jas aangeven? De ochtenden kunnen nog wat kil zijn.'
De stemmen sterven weg, en de voordeur valt met een klap dicht. Frank kijkt door het keukenraam naar buiten. Professor en mevrouw Van Laeren stappen in een zilverkleurige Mercedes. Hun zoons wringen zich in een kleine, rode Fiat Panda. Een stereo begint te bonken. Met veel lawaai rijden ze weg.
'Zo', zegt Felicia. 'Opgeruimd staat netjes. Wat een mens.'
Frank knikt. 'En wat een jongens.'

Meer dan een uur zijn Frank en Felicia bezig om de keuken weer netjes te krijgen. Pas als de afwas klaar is, ontdekt Frank een afwasmachine.
'Hadden ze dat niet even kunnen vertellen?' moppert hij. 'Sta ik alles met de hand af te wassen!'
'Hoe gaat het met de havermoutpan?' informeert Felicia. Ze staat boven op het aanrecht. Ze poetst de laatste beslagrestjes van de ramen.
'Slecht. Ik geloof dat het niet meer goed komt.' Met een zucht laat Frank de pan zien. 'Kijk. Helemaal zwart van binnen.'
'Geef hem aan die vleesetende plant. Misschien wil die hem wel schoonlikken.'

Frank grinnikt. 'Het is geen hond! Ik zet die pan gewoon achter in de kast. Dan zien ze het tenminste niet meteen.' Hij bukt zich en kruipt half in het keukenkastje. Als hij op wil staan, stoot hij zijn hoofd tegen de gootsteen. Met een pijnlijk gezicht komt hij overeind. Hij wrijft over zijn hoofd. 'Zijn we klaar?'

'Ik wel', zegt Felicia. 'Kom mee. We gaan computeren.'

10. Telefoon

In een hoek van de huiskamer staan twee computers. Er staat wel een meter cd-roms naast. Frank kiest een racespel uit. Felicia besluit een prinses te bevrijden uit de gevangenis.

Frank zit juist in een scherpe bocht als de telefoon gaat.

'Laat maar bellen', zegt Felicia zonder op te kijken. 'Help! Ik val weer in die scherpe messen! Nu kan ik weer overnieuw beginnen.'

Frank knikt. Tot zijn ergernis ziet hij dat hij gecrasht is. Zijn auto ligt op zijn rug. En zijn coureur kruipt eruit. Stomme telefoon. Wanneer houdt dat gerinkel nou eens op? Het duurt wel lang. Toch maar opnemen? Misschien is het de professor wel. Maar net op het moment dat hij op wil staan, stopt het geluid.

'Zie je wel,' zegt Felicia, 'het was niet belangrijk.'

Op dat moment gaat de telefoon opnieuw. Frank aarzelt even. Dan staat hij op en loopt erheen. 'Hallo,' zegt hij, 'met het huis van de familie Van Laeren.'

'Is Barry er niet?' klinkt een zenuwachtige meisjesstem.

'Barry? Eh... nee, die is er niet. Die is zonet weggegaan.'

'En Freddie, is die er dan?' gaat het meisje verder.

'Nee, er is niemand,' zegt Frank, 'alleen wij.'

'O nee!' roept het meisje paniekerig.

'Ik geloof dat ze naar hockey zijn. Moet ik iets doorgeven?'

'Nee, luister. Kun je iets voor me doen? Ik ben mijn map met aantekeningen kwijt. En ik heb maandag tentamen. Ik heb hem nodig!'

Frank fronst zijn wenkbrauwen. 'Een map met aantekeningen? En die heb je hier laten liggen?'

'Nee!' roept het meisje. 'In de collegezaal. Heel stom.'

'Maar dan ga je daar toch zoeken', zegt Frank. Hij snapt het probleem niet.

'Nee! Ja! Natuurlijk. Dat heb ik ook gedaan. Maar hij ligt er niet meer. Zou je even in Barry's kamer kunnen kijken? Hij zat gisteren naast mij tijdens college. Misschien heeft hij hem per ongeluk meegenomen.'

'In Barry's kamer kijken?' Frank krabt zijn voorhoofd. 'Ik weet niet of...'

'Alsjeblieft!' smeekt het meisje. 'Ik zou het niet vragen als het niet belangrijk was! Ik móet slagen voor dit tentamen!'

'Momentje.' Frank legt zijn hand op de hoorn. Snel legt hij Felicia uit wat het probleem is. 'Ik kan toch niet in die kamer van Barry gaan rondsnuffelen?'

'Nou, misschien kun jij dat niet,' zegt Felicia, 'maar ik wel hoor. Geef mij de telefoon maar even. Hallo? Ja, met Felicia. Ja, hoi. Tuurlijk. Weet jij waar Barry's kamer is? Oké. En die map, hoe ziet die eruit? Goed, we gaan even zoeken. Bel over tien minuten maar terug. Ja, geen probleem. Doei!'

Felicia legt de hoorn op de haak. Ze kijkt Frank triomfantelijk aan. 'Kom mee. Ik ben reuze benieuwd hoe de rest van het huis eruitziet!'

Over een brede, glimmend houten trap lopen ze naar boven. 'We moeten naar de tweede verdieping', zegt Felicia als ze op de overloop zijn. 'Wauw, wat een tapijt. Je zakt er helemaal in weg.'

'Het lijkt wel een hotel,' zegt Frank, 'moet je zien. Al die deuren!'

Felicia blijft staan. Ze glimlacht ondeugend. 'Wat dacht je?' zegt ze. 'Zullen we eens op onderzoek uitgaan hier?'

'Nee!' zegt Frank streng. 'Ben je nou helemaal! Dat doe je toch niet!'

'Waarom niet? We moesten toch doen of we thuis waren?'

'Nou, dat kan wel zijn. Maar dat bedoelde de professor vast niet. Kom op. Snel naar die kamer van Barry. En dan gaan we meteen weer naar beneden. Stel je voor dat ze ineens thuiskomen!'

Hij rent de trap naar de tweede verdieping op. Felicia komt achter hem aan.

'De eerste kamer tegenover de trap', hijgt ze.

Voorzichtig duwt Frank de deur open. Een bedompte lucht komt hem tegemoet. Het is halfdonker in de kamer. Wat een ongelofelijke bende is het hier! Het dekbed ligt half naast het bed. Over de vloer liggen allemaal kledingstukken en schoenen verspreid. Naast het bed staat een asbak vol peuken. En overal staan lege bierflesjes.

Felicia loopt naar het raam. Met een ruk trekt ze het gordijn open. Met haar handen in haar zij kijkt ze naar de puinhoop. 'Hij is écht lui', zegt ze. 'Wat een zwijnenstal.'

'Hoe ziet die map eruit?' vraagt Frank.

'Rood. En er staat *Nederlands recht* op.'

'Mmm.' Frank tilt voorzichtig wat papieren van het overvolle bureau. Een rode map... Die moet toch makkelijk te vinden zijn. Op het bureau ligt hij niet. In de boekenkast misschien? Of bij de computer?

'Heb je al in die la onder het bureau gekeken?' vraagt Felicia. Ze ligt op haar buik en kijkt onder het bed.

Frank trekt de la open. Pennen. Wat enveloppen. En... hé, wat

gek! Allemaal sieraden. Een ring met een grote, glimmende steen. Gouden oorbellen. Een parelketting. Een gouden armband. Een ketting met glinsterende steentjes. Snel doet Frank de la weer dicht. Hij kon wel gek zijn. Snuffelen in de spullen van iemand anders!

'Kom, Felies', zegt hij, 'we gaan weer. Die map ligt hier niet.'
Felicia komt overeind. 'Ik geloof het ook', puft ze. Ze slaat haar kleren af. 'Bah! Kijk nou! Ik heb in een asbak gelegen! Bah! Ik zit onder de as! Wat een stank. Ik wil hier weg.'

Frank loopt de kamer uit. Hij is al halverwege de trap, als hij ineens halt houdt. Felicia botst bijna tegen hem op. Hij merkt het niet. Die sieraden in de bureaula... Is het niet vreemd dat een jongen zoveel sieraden heeft? En dat hij ze gewoon in de la van zijn bureau bewaart? Of zou het...

Hij moet het weten! Hij draait zich om en wringt zich langs Felicia.

'Hé, waar ga je heen?' vraagt ze.

Frank antwoordt niet. Hij rent naar boven en duwt de deur open. Hij aarzelt even. Dan trekt hij de la van het bureau open. De sieraden liggen er nog steeds. Hij pakt de gouden armband op. Tom – Kees – Jan – Rini staat erin gegraveerd.

Er gaat een schok door hem heen. Vier namen. Had mevrouw De Groot niet ook vier kinderen? Hij voelt zich ineens helemaal koud worden.

'Frahank,' klinkt de ongeduldige stem van Felicia, 'wat doe je nou?'

Frank springt bijna in de lucht van schrik. Snel legt hij de armband terug. Hij duwt de bureaula dicht. 'Gauw,' zegt hij gejaagd, 'we moeten naar beneden. Hij mag niet merken dat we hier geweest zijn.'

'Wie?' zegt Felicia verbaasd.

'Barry.'

'Hoezo niet? We hebben toch niks verkeerds gedaan?'

Frank antwoordt niet. Hij trekt het gordijn weer dicht, en zet de asbak overeind. De peukjes legt hij er een voor een in terug. Dan kijkt hij om zich heen. Hebben ze nog spullen verzet? Papieren anders neergelegd? Hij weet het niet meer. Maar ze moeten nu weg hier. Snel. Voor Barry terugkomt.

11. Piratenbloed

'Nou moet je me echt vertellen wat er aan de hand is', zegt Felicia. Samen fietsen ze terug naar huis. 'Ik ontplof bijna van nieuwsgierigheid! Waarom wilde je nou niks zeggen?'

'Ze hebben toch een alarmsysteem daar', zegt Frank. 'Ik was bang dat we afgeluisterd werden.'

'Wat een onzin', zegt Felicia. 'Dat alarmsysteem stond helemaal niet aan!'

'Ja, maar je weet maar nooit', zegt Frank. Hij kijkt om zich heen en dempt zijn stem. 'Ik heb je toch verteld van mevrouw De Groot?'

'Mevrouw De Groot?' Felicia kijkt hem niet-begrijpend aan.

'Ja, die mevrouw waar we vorige week zijn geweest.'

'O ja! Die mevrouw die beroofd was.'

'Nou, volgens mij heb ik haar armband gezien.'

'Wát?' roept Felicia. 'Die gestolen armband? Heb je die gezien? Wáár?'

Twee jongetjes die voor hen fietsen draaien zich om.

'Zachtjes!' fluistert Frank. Hij kijkt de jongens dreigend aan. Geschrokken kijken ze weer voor zich.

Felicia klopt hem op zijn arm. 'Toe nou, vertel nou', zegt ze, nu wat zachter. 'Wáár heb je hem gezien? Toch niet...' Ze houdt abrupt haar mond.

'Ja. In de bureaula van Barry. Daar liggen allemaal sieraden. Een parelketting, en van die oorknopjes en een paar gouden ringen. Echt heel veel. Eerst dacht ik er niet bij na. Maar ineens herinnerde ik me die gouden armband van mevrouw De Groot. Daar stonden de namen van haar kinderen in. En toen ben ik nog even gaan kijken...'

'En?'

'Nou, in die armband van Barry staan vier namen.' Frank haalt zijn schouders op. 'Het hoeft natuurlijk niks te zeggen, maar...'

'We gaan meteen naar haar toe', beslist Felicia.

Frank knikt. 'Maar we gaan niks tegen haar zeggen, hoor! We gaan alleen vragen hoe die armband eruitzag.'

'En als het dezelfde armband is, dan gaan we meteen terug naar Barry.' Felicia zwaait met haar vuist. 'En dan slaan we hem in elkaar en dan stelen we die armband terug. Oké?'

Frank grijnst. 'Ik weet niet of dat nou wel zo'n goed idee is. Ik zou geloof ik eerder naar de politie gaan.'

'Hè, jij bent ook zo saai!' moppert Felicia. 'Jij hebt helemaal geen piratenbloed.' Ineens grijpt ze Franks arm. 'Hé, Frank! Er lagen daar toch nog meer sieraden? Misschien zijn die dan ook wel gestolen!'

Frank rolt met zijn ogen. Hèhè! Ze heeft het ook door.

Mevrouw De Groot ziet er slecht uit. Haar ogen staan dof, en ze lijkt nog magerder geworden. Maar ze is blij om bezoek te krijgen. Ze vertelt het hele verhaal over de beroving nog een keer. Felicia is vol medeleven. Ze balt haar vuisten van woede. Frank ziet dat de tranen in haar ogen staan.

'Hebt u nu nog wel genoeg geld?' vraagt ze. 'Want anders...' Ze seint naar Frank.

Frank begrijpt meteen wat ze bedoelt. Hij haalt de twintig euro uit zijn zak en legt die op tafel. 'Kijk. Voor u. Eerlijk verdiend.'

'Och, lieve kinderen!' Mevrouw De Groot schudt haar hoofd. Ze glimlacht. 'Dat is echt niet nodig! Nee, ik kom niets tekort. Stop dat geld maar weer gauw in je zak. Ach, weet je... het gaat me niet om het geld. Daar geef ik niet om. Ik ben iets kwijt wat veel belangrijker is. Mijn gevoel van veiligheid. Ik ben bang in mijn eigen huis. Ik durf de lichten niet meer uit te doen 's avonds. Ik durf niet meer naar bed te gaan. Ik durf niet meer naar buiten te gaan.'
Ze onderdrukt een geeuw. 'Ik ben zo moe. Is het niet vreemd dat je dan niet kan slapen? Maar ik moet steeds aan die jongen denken. Die jongen van het gas. Hij leek zo aardig en behulpzaam. Dat hij mijn armband heeft meegenomen... Ik kan het gewoon bijna niet geloven.'
'Eh... die armband,' zegt Frank, 'hoe zag die er eigenlijk uit?'
Mevrouw De Groot wrijft over haar smalle pols. 'Het was zo'n gladde, gouden armband. Heel eenvoudig, eigenlijk. Aan de binnenkant stonden de namen van mijn kinderen. Tom, Kees, Jan en Rini.'
Felicia veert op. Frank werpt haar een waarschuwende blik toe. 'En die jongen van het gas?' gaat hij snel verder. 'Weet u ook nog hoe die eruitzag?'
Mevrouw De Groot fronst. 'Daar heb ik niet echt op gelet, eigenlijk.' Ze is even stil. 'Hij was behoorlijk lang, dat weet ik nog wel.' Ze steekt haar hand in de lucht. 'Wel een halve meter groter dan ik. Ik dacht nog: Het kon Jacco wel zijn. Mijn kleinzoon.'
Nu weet Frank het zeker. Het moet Barry geweest zijn. Hij kijkt naar Felicia en knikt.
Felicia staat op. Ze schraapt haar keel. 'We moeten maar eens gaan', zegt ze. 'Als u iets nodig hebt, dan belt u ons maar. Of als u die vent weer ziet. Wij zijn niet bang!'

'Oké', zegt Felicia als ze weer verder gaan. 'Dus het is duidelijk. Barry is een dief. En nu?'

'Nu gaan we naar de politie', zegt Frank.

'Ja, en dan? Dan zeggen we: "We hebben de armband van mevrouw De Groot gezien"?'

'Ja.'

'Dat kan toch niet!' roept Felicia. 'Denk je dat de politie naar twee kinderen luistert? En dat ze dan een inval gaan doen bij de familie Van Laeren? Echt niet! Straks gooien ze ons nog in de gevangenis! Dan zeggen ze: "Wat snuffelden jullie daar rond in dat huis? Wat deden jullie in die kamer?"'

Frank zucht. 'Wat wou je dan?'

Felicia antwoordt niet. Ze bonkt de stoep op. Ze fietst een klein steegje in, tussen de huizen door. Bij de poort van Franks huis springt ze van de fiets. Met haar voorwiel duwt ze de deur open. Dan keert ze zich om naar Frank. 'Laten we hem gaan schaduwen', zegt ze zacht.

'Gaan schaduwen?'

'Ssst! Wil je dat iedereen het hoort? Ja, schaduwen! We gaan achter hem aan! En dan gaan we hem betrappen!'

Frank denkt na. Het is natuurlijk weer een echt Felicia-plan. Maar aan de andere kant... Felicia heeft waarschijnlijk wel gelijk. De politie gelooft nooit dat Barry een dief is. Ze zullen eerst bewijzen moeten hebben.

'Oké', zegt hij.

Felicia knippert met haar ogen van verbazing. 'Je bedoelt...'

'Ja. We gaan hem schaduwen. We zullen hem eens even op heterdaad betrappen.'

12. Detectives

'Hij doet helemaal niks', fluistert Felicia. 'Hij zit alleen maar cola te drinken.' Ze laat de verrekijker zakken. 'Stom gedoe.'

'Geef maar', zegt Frank zachtjes. 'Ik neem hem wel weer een poosje.'

'Dit is echt saai, man', zegt Felicia. Ze schuift achteruit op haar tak. Ze leunt tegen de dikke boomstam aan. 'Ik ben blij dat ik geen detective ben. Is er nog limonade?'

Het is nu al de derde dag dat ze Barry proberen te schaduwen. Iedere dag na schooltijd gaan ze met drinken, koekjes en een verrekijker naar de Wilhelminalaan. Van hun zelfverdiende geld hebben ze een wegwerpcameraatje gekocht. Het drumstel moet nog maar even wachten. Als detective moet je natuurlijk wel foto's kunnen nemen van de verdachte.

Vlakbij het huis van de familie Van Laeren staat een grote beuk. Daarin hebben ze een uitkijkpost gemaakt. Verscholen tussen de bladeren kunnen ze het huis precies in de gaten houden.

Tot nu toe gebeurt er maar weinig. Maandag hebben ze de professor een keer naar buiten zien komen. Hij reed de vuilniscontainer naar de stoep. Dinsdag hebben ze een glimp van mevrouw Van Laeren opgevangen. Volgens Felicia was ze de vleesetende planten stukjes kip aan het voeren. Pas vanmiddag hebben ze Barry voor het eerst gezien. Hij kwam om half twee aanscheuren in zijn Fiat Panda. De hele straat kon meegenieten van de denderende muziek.

Nu zit hij in de tuin op het terras. Hij leest een dik boek en drinkt het ene glas cola na het andere. Frank heeft al drie foto's van hem genomen. Maar Felicia heeft gelijk, natuurlijk. Erg misdadig ziet het er niet uit. Dit is gewoon tijdverspilling.

'Zullen we gaan?' fluistert Felicia.

Frank knikt. Nog een laatste keer houdt hij de verrekijker voor zijn ogen. Hé... waar is Barry nou ineens gebleven? Hij stoot Felicia aan. Die proest van schrik haar limonade uit. De stoep zit onder de oranje spetters.

'Wat doe je?' sist Felicia verontwaardigd. 'Kijk nou! Mijn broek!' Ze wrijft over de natte plek op haar been. 'Wat is er aan de hand?'

'Kijk dan! Hij is naar binnen gegaan!'

'Ja, hèhè. Naar de wc natuurlijk! Heb je gezien hoeveel cola hij heeft gehad? Volgens mij wel vier glazen.'

Frank haalt zijn schouders op. Hij houdt de camera in de aanslag. Felicia kan best gelijk hebben. Maar je weet maar nooit.

Het blijft een poos stil. Maar dan ineens zwaait de garagedeur open. Barry rijdt zijn fiets naar buiten. Hij draagt een rugzak over zijn schouder. Op zijn bagagedrager zit een leren tas gebonden.

'Felies!' fluistert Frank. 'Hij gaat ervandoor! Kom op!' Hij maakt snel een foto van Barry die aan komt fietsen over de oprijlaan. Dan laat hij zich op een lagere tak zakken.

'Wacht even!' zegt Felicia zacht. 'Anders ziet hij je. We moeten pas achter hem aan als hij weg is.'

Frank knikt. Hij blijft op zijn tak staan tot Barry een zijweg ingeslagen is. Dan springt hij naar beneden. Het cameraatje gooit hij in een plastic tas. Het is een speciale tas met een gat erin. Een idee van Felicia. 'Dat hebben echte detectives ook

altijd. Dan zien de mensen niet dat je een foto van ze maakt.'
Frank rent naar zijn fiets, die achter een paar struiken verstopt staat. Hij springt erop en sprint weg. Felicia komt vlak achter hem aan.
'Welke kant op?' roept ze.
'Die kant!' wijst Frank. 'Hij ging naar rechts.'
Hij versnelt zijn tempo. Als ze Barry maar niet kwijt zijn! Nee, gelukkig. Daar ziet hij hem al. Hij fietst in de richting van de winkels. Waar zou hij heengaan?
Felicia komt naast hem fietsen. Ineens grijpt ze Frank bij zijn arm. 'Volgens mij wil hij naar de bank!' hijgt ze. 'Kom op! We moeten achter hem aan!' Ze spurt ervandoor.
Frank knijpt zijn ogen halfdicht om beter te kunnen zien. Het lijkt erop dat Felicia gelijk heeft. Barry stopt inderdaad bij de bank.
Felicia draait zich naar hem om. Ze wenkt. 'Kom nou!' zegt ze gehaast.
Frank versnelt zijn tempo. 'Wat wou je doen, dan?' vraagt hij als hij weer bij is.
'Nou, wat denk je? Hem tegenhouden, natuurlijk! Voor hij de bank kan overvallen.'
'De bank overvallen?' Een grijns trekt over Franks gezicht. 'Dat meen je toch niet?'
Felicia snuift. 'O, jij gelooft het niet? Nou, prima. Dan ga ik wel alleen kijken. Ik wil weten wat hij doet.' Ze remt af en rijdt de stoep op.
Frank pakt haar bij haar schouder. 'Maar Felies! Je gelooft toch niet echt...'
Felicia gooit haar fiets tegen de muur. Dan draait ze zich om. 'Blijf

jij maar hier, hoor. Je hoeft echt niet mee. Stel je voor dat het gevaarlijk wordt.'

'O, dacht je soms dat ik bang was?' zegt Frank boos. Hij gooit zijn fiets tegen die van Felicia aan.

'Zou me niks verbazen', zegt Felicia. Ze loopt naar de glazen deur toe, haar neus in de lucht.

Frank rent achter haar aan de hal in. 'Doe toch niet zo stom!' fluistert hij.

'Je doet zelf stom!' fluistert Felicia terug.

'Niet!'

'Wel!'

'Niet!'

'Wel! Stom stom stom!'

Ineens vergeet Frank verder te ruziën. Bij een van de balies ziet hij Barry staan. Wat staat hij daar in zijn rugzak te rommelen? Zoekt hij iets?

Franks hart begint te bonzen. Misschien heeft Felicia wel gelijk. Misschien is Barry inderdaad iets van plan. Wat heeft hij daar in die rugzak?

Vanuit zijn ooghoek ziet hij in een flits iets roods voorbijkomen. Felicia's stuiterbal. Hij rolt in de richting van Barry. Felicia rent er snel achteraan. Vlak achter Barry hurkt ze neer om hem op te rapen.

Frank worstelt met de plastic zak. Hij moet een foto maken. Maar waar zit het knopje van het fototoestel? Zit de lens nou wel voor de opening? Zo onopvallend mogelijk richt hij de plastic zak op Barry's rug. Op goed geluk drukt hij af.

Felicia komt zijn richting uitgeslenterd. 'Hier, je stuiterbal', zegt ze. 'Voortaan een beetje oppassen, hè.'

Frank trekt zijn wenkbrauwen op en steekt zijn hand uit.

'Volgens mij heeft hij een mes!' fluistert Felicia, terwijl ze hem het balletje geeft. 'We moeten iets doen.'

'Hallo', zegt een keurig opgemaakte mevrouw van achter de balie naast die van Barry. 'Kan ik jullie helpen?'

Frank kijkt verschrikt op. Felicia knikt en loopt naar de balie toe.

'Kom mee, Frank!' sist ze.

De dame kijkt hen bemoedigend aan. 'Zeg het maar!'

'Eh...' begint Frank hakkelend. Hij zet zijn elleboog op de balie en leunt met zijn kin op zijn hand. Zijn vingers spreidt hij voor zijn gezicht. Zo kan Barry hem tenminste niet herkennen. En als hij tussen zijn vingers door gluurt, kan hij Barry zien.

Maar wat moet hij eigenlijk zeggen tegen deze dame? 'Die vent met die rugzak daar is een boef?' 'Hij wil jullie overvallen?'

'Ja, wat we vragen wilden...' zegt Felicia. Ze stoot Frank aan.

Frank denkt razendsnel na. 'Eh... hebt u ook informatie over een kindervarkensrekening?' vraagt hij dan.

'Een kindervarkensrekening?' zegt de mevrouw. Ze trekt haar geverfde wenkbrauwen op.

Felicia komt hem te hulp. 'Een spaarvarkensrekening, bedoelt hij. Toch, Frank?'

Frank knikt. 'Ja, precies,' zegt hij opgelucht, 'dat was het!'

'Een spaarvarkensrekening?' De mevrouw schudt haar hoofd. 'Die hebben wij niet.'

'Zo'n rekening waarbij je zo'n doorzichtig ding krijgt', probeert Frank. 'En daar doe je dan je geld in. En dan rolt het in het goede vakje.'

'O, een penniemaat', zegt de mevrouw begrijpend. 'Dan moet je niet bij ons zijn, maar bij het postkantoor. Bij ons krijg je een knuffelbeer als je een rekening opent. Maar dan moet je vader of moeder meekomen.'

'Een knuffelbeer?' zegt Frank. Hij gluurt onopvallend opzij en ziet Barry in de binnenzak van zijn jasje grijpen. Net als op de televisie. Dat doen ze altijd als ze een pistool tevoorschijn halen. Frank verstijft van schrik. Wat moet hij doen? Op de grond vallen en dekking zoeken? Blijven staan alsof hij niets doorheeft? Nee! Hij moet ze waarschuwen. Een briefje! Hij moet een briefje schrijven.

'Zal ik hem eens laten zien?' zegt de mevrouw.

'Eh... wat?' zegt Frank verdwaasd.

'Die knuffelbeer!' Ze opent een kast en haalt er een wit beertje uit. 'Kijk,' zegt ze. 'dat is hem dan. En kijk eens...' Ze draait de kop van de beer drie keer rond. Een muziekje begint te spelen. Old MacDonald had a farm. De kop van de beer draait langzaam terug. 'Nou, is dat leuk of niet?'

'Erg leuk', zegt Frank. Hij dempt zijn stem. 'Maar hebt u ook een papiertje en een...' Ineens valt zijn oog op de lege plek naast hem. Barry is weg. Frank draait zich met een ruk om. Hij ziet Barry nog net weglopen. De bank uit.

'We denken er nog even over', zegt Felicia. 'Kom mee, Frank!' Ze trekt Frank aan zijn arm mee. Frank kan nog net zijn hand opsteken naar de mevrouw met de knuffelbeer. 'Dank u wel voor de informatie.'

13. Ruzie

'Een kindervarkensrekening!' giechelt Felicia. Ze stompt Frank tegen zijn schouder. 'Ja hoor!'

'Weet ik veel hoe zoiets heet!' zegt Frank boos. Hij trekt zijn stuur uit het wiel van Felicia's fiets. 'Trouwens, het was jouw stomme idee! Jij dacht dat hij een bank ging overvallen. Ja hoor. Vast wel.'

'Het had anders best gekund', zegt Felicia. Ze zet haar fiets weer overeind. 'Dat doen ze zo vaak, banken overvallen.'

'Maar dan lopen ze toch niet zomaar naar binnen', zegt Frank. 'Dan doen ze iets over hun hoofd. Een kous of een masker. Zodat ze niet herkend kunnen worden. En ze gaan ook nooit op de fiets, overvallers. Ze gaan altijd met een auto. Om snel te kunnen vluchten.'

'O ja, jij weet het natuurlijk weer beter!' zegt Felicia beledigd. 'Nou, weet je wat, doe het verder maar lekker zelf, dan. Ik stop ermee. Ik ga naar huis.'

Nu voelt Frank zich pas echt boos worden. Het is toevallig wel háár schuld dat hij zichzelf voor gek heeft gezet. 'Prima!' roept hij. 'Ga maar naar huis! Ik wou er toch ook al mee stoppen! En weet je wat? Dan stoppen we ook meteen met de ontbijtclub! Ik heb er helemaal geen zin meer in. En ik heb ook geen zin meer in die stomme band.'

'Hé, Frank!' klinkt een treiterige stem. 'Wat is dat nou? Je hebt toch geen ruzie met je liefje?'

Frank draait zich met een ruk om. Midden op de weg staan Gert en Harwin, twee jongens uit zijn klas. Gert houdt zijn hand op en Harwin slaat ertegenaan. Allebei brullen ze van het lachen.

Felicia komt naast hem staan. 'Waar bemoeien jullie je eigenlijk mee!' zegt ze boos.

'Precies!' snauwt Frank. 'Bemoei je met je eigen zaken!'

'En als je het weten wilt,' zegt Felicia, 'ik ben zijn liefje niet.'

'O nee?' zegt Harwin met een lachje.

Frank kijkt hem met een verachtelijk gezicht aan. 'Nee', zegt hij.

'En ruzie hebben we ook niet', zegt Felicia. 'Kom mee, Frank.' Ze springt op haar fiets en rijdt weg. Haar zwarte krullen dansen in de wind.

Een grijns trekt over Franks gezicht. Gek genoeg is hij ineens helemaal vergeten waarover ze zo'n ruzie hadden. Hij zwaait zijn been over het zadel en bonkt de stoep af. Als hij Felicia heeft ingehaald, kijkt hij achterom. 'Of zijn jullie soms jaloers?' roept hij over zijn schouder.

Hij steekt zijn hand in de lucht. Felicia slaat met haar hand tegen de zijne. Vrienden!

'Sorry', zegt Felicia, als ze uit het zicht van Gert en Harwin zijn. Ze haalt haar schouders op. 'Ik wou je heus niet uitlachen.'

'Jij ook sorry', zegt Frank. 'Ik wou jou ook niet uitlachen. En ik wil heus wel meedoen met de band. Als ik mag drummen, tenminste.'

Felicia knikt. 'Wat zou je anders moeten doen? Ik zie jou nog niet zingen. Je kunt niet eens wijs houden.'

Frank grinnikt. 'Jij zingt zo hard dat je niet eens kunt horen of ik wijs kan houden.'

'Hé!' Felicia kijkt Frank verschrikt aan. 'Barry!'

'O nee!' kreunt Frank. Hij is Barry helemaal vergeten. Waar zou hij kunnen zijn?

'Hij is vast weer naar huis', zegt Felicia. 'Zullen we ermee stoppen voor vandaag? Ik ben het toch zat.'

Frank haalt zijn schouders op. 'Oké.' Eigenlijk heeft hij er ook weinig zin meer in. Het leek zo spannend, iemand schaduwen. Maar eigenlijk is het alleen maar heel erg saai. Misschien is er wel helemaal niets met Barry aan de hand. Misschien heeft hij het zich wel verbeeld, die sieraden in de bureaula. Misschien waren het wel nepsieraden. Of cadeautjes voor zijn moeders verjaardag.

'Nou, dan ga ik maar', zegt Felicia. 'Ik moet nog even boodschappen doen. Ik moet koken vanavond.'

'Oké,' zegt Frank, 'ik zie je morgen.'

Hij slaat linksaf, de Kerklaan in. Als hij opschiet, kan hij nog net een uur computeren voor het eten. Hé! Frank knippert met zijn ogen. Dat lijkt Barry wel, die daar fietst. Ja! Het is hem. Waar zou hij naartoe gaan? Niet naar huis in elk geval. Frank aarzelt even. Zal hij even achter hem aan fietsen? Even zien waar hij heengaat? Een glimlach trekt over zijn gezicht. Ach, waarom niet? Hij heeft toch tijd genoeg. En het is lekker weer.

Frank laat zijn tempo zakken. Langzaam fietst hij achter Barry aan. Het centrum uit, de Rijksstraatweg over, langs het politiebureau.

De weg loopt een beetje naar beneden. Frank gaat steeds harder. De wind zoeft langs zijn oren. Hij kijkt naar het park, rechts van hem. Lang geleden dat hij daar geweest is. Vroeger ging hij er nog wel eens spelen. Voetballen. Of pootjebaden in de fontein. Hé, er is een skatebaan, nu. Die heeft hij nog nooit gezien. Daar moet hij eens naartoe. Dat is beter dan skaten in de straat, met al die auto's.

Maar waar is Barry nu ineens gebleven? Frank remt af en kijkt om zich heen. Dat is gek! Zonet fietste hij hier nog. En nu is hij verdwenen. Dat kan niet. Hij kan niet in het niets zijn opgelost. Hij moet het park ingegaan zijn. Maar waar? Frank fietst langzaam verder. Ineens ziet hij iets. Hij springt van zijn fiets en hurkt neer naast een bloemperk. Er staan voetafdrukken in de pas geschoffelde grond. En een lange, smalle streep. Er is hier iemand tussen de bloemperken door het park ingelopen. Met een fiets aan de hand.

Frank zet zijn fiets vast aan een lantarenpaal. Hij rent het bloemperk in en volgt het spoor. Hij wringt zich tussen een paar dichte struiken door. De grond is hier droog. Het spoor is bijna niet meer te zien. Maar even verderop is het weer duidelijker. Voorzichtig loopt hij over de geharkte aarde, langs de margrieten, door een bed rozenstruiken... Dan ineens eindigt het spoor op een grindpad, midden in het park. Frank kijkt om zich heen. Barry is nergens te zien. En zijn fiets ook niet. Daar is hij mooi klaar mee. Daar staat hij nou, in het park. Zonder fiets. En zonder te weten waar Barry gebleven is. Wat een detective is hij. Eerst zet hij zichzelf voor gek in de bank, en daarna raakt hij de verdachte kwijt. Niet een keer, maar twee keer. Boos schopt hij een dennenappel in de vijver. Een groep eenden zwemt er hoopvol op af.

Frank gaat met een zucht op een bankje zitten. Hij staart voor zich uit. De eenden komen nu het water uit. Snaterend waggelen ze naar hem toe.

'Hoepel op, jullie', moppert hij. 'Ik heb niks bij me. En anders at ik het zelf op.'

Ineens hoort hij geritsel achter zich. Verschrikt kijkt hij om. Een hond? Nee. Het is Felicia, die uit de struiken komt gekropen. Waar komt die ineens vandaan?

'Hé, Frank,' zegt Felicia opgewekt, 'wat doe je?'

'Kan ik beter aan jou vragen', zegt Frank. 'Ben je me soms aan het bespioneren? Kijken hoe slecht ik kan schaduwen?'

'Huh?' Felicia veegt de aarde van haar knieën. Ze komt naast hem op het bankje zitten. 'Wat bedoel je? Ik kwam je even vertellen dat we mogen spelen op de bruiloft van mijn tante, volgende maand. Leuk hè?'

'Spelen?' zegt Frank verbaasd.

'Ja, met onze band! Ik was zonet in de winkel en toen dacht ik er ineens weer aan. Dus toen ben ik snel achter je aangegaan.'

Frank zucht. 'Met onze band? Felies! We hebben toch nog helemaal geen...' Midden in de zin stopt hij. Aan de overkant van het water ziet hij Barry lopen, een tas in zijn hand. Hij grijpt Felicia bij haar arm. 'Hé, Felies! Kijk! Daar gaat-ie!'

Felicia kijkt hem niet-begrijpend aan. 'Wat? Wie? Waar heb je het over?'

'Kijk dan! Barry! Daar loopt-ie!'

'Barry?' Felicia's ogen beginnen te schitteren. 'Zullen we?'

Frank grijnst. 'Natuurlijk!'

14. Schaduwen

Zo hard ze kunnen rennen, ze om de vijver heen. Ze slalommen langs moeders met buggy's. Ze sprinten langs de zandbak met spelende kinderen. Als ze maar op tijd zijn! Als hij maar niet weer ineens verdwijnt!

'Kijk!' hijgt Felicia. Ze wijst naar een fiets die half verborgen tussen de struiken staat.

Frank herkent de fiets meteen. Het is die van Barry. Waarom zou hij zijn fiets daar hebben neergezet?

Felicia klimt tegen de aarden wal op en verdwijnt tussen de bomen. Frank gaat achter haar aan. Boven aan de wal blijft hij staan. De wal vormt de grens tussen het park en de wijk met bejaardenhuisjes. Bejaardenhuisjes?

Frank bijt op zijn lip. Barry zal toch niet...

'Ik wed dat hij daarnaartoe is', zegt Felicia grimmig. 'Oude vrouwtjes bestelen. Kom op.'

Voor Frank wat kan zeggen, is ze al weg. De wal af, het park uit.

'Ho, wacht even', roept Frank. Hij holt achter haar aan.

Felicia draait zich om. 'Wat?'

'We moeten eerst een plan bedenken.'

'Een plan?'

'Ja, wat we gaan doen. Als we hem zien.'

Felicia zucht ongeduldig. 'Foto's maken, toch! Als bewijs-materiaal. Zodat de politie hem kan arresteren. Kom op! Voor hij weg is!' Ze stuift ervandoor.

Frank haalt zijn schouders op. Dan rent hij achter haar aan.

'Ik weet het niet', zegt Felicia. Ze veegt haar zwarte krullen uit haar gezicht. 'Ik heb overal naar binnen gekeken. Maar ik zie hem nergens. Volgens mij is hij hier helemaal niet.'

'Ik geloof het ook', zucht Frank. Hij heeft de andere kant van de straat gedaan. Maar alles zag er rustig uit. Nergens een glimp van Barry. Nergens verdachte omstandigheden. Nergens gillende dametjes.

Misschien heeft hij het zich wel verbeeld. Die armband en die andere sieraden. Misschien was het maar een droom. Een droom die net echt leek. Het kan toch ook eigenlijk niet. De zoon van professor Van Laeren? Een dief!

'Frank!' fluistert Felicia ineens. Ze trekt hem mee een tuintje in. Ze duwt hem omlaag. 'Daar!'

'Waar?' fluistert Frank terug.

'Daar! Hij kwam uit dat bejaardenhuisje, daar! Die derde van links!'

Frank komt half overeind. Door een struik heen ziet hij iemand lopen. Het is waar! Dat is Barry! Of niet? Frank knijpt zijn ogen tot spleetjes. Het is Barry. Maar hij ziet er heel anders uit dan zonet. Zijn haar heeft hij strak naar achteren gekamd. Hij draagt een blauwe, halflange werkjas. En hij heeft een brilletje op. Hij moet zich verkleed hebben voor hij het park verliet. Franks hart begint sneller te kloppen. Dit is wel heel vreemd. Zou het dan toch waar zijn?

Hij gaat weer op zijn knieën zitten. 'Ga jij bij dat huis langs,' fluistert hij tegen Felicia, 'kijken of er wat gebeurd is daar. Ik ga vast achter Barry aan.'

'Oké!' fluistert Felicia. 'Ik kom achter je aan als ik wat weet.' Ze staat al half. Frank kan haar nog net tegenhouden.

'Wacht! Hij komt onze kant op!'

Hij trekt Felicia mee. Dieper de struiken in. Achter hen wordt driftig op het raam getikt. Frank draait zich om. Hij ziet een oude man achter het raam. Hij kijkt hen boos aan. Felicia lacht de man stralend toe en legt haar vinger op haar lippen. De man schudt zijn hoofd. Een glimlach trekt over zijn gezicht.

Dat heeft Felicia nou altijd. Frank begrijpt niet hoe ze het voor elkaar krijgt. Maar handig is het wel.

Aan de overkant van de straat loopt Barry voorbij. Hij kijkt niet op of om. Frank kruipt naar voren, het tegelpaadje op. Nog heel even wachten. 'Ga jij maar vast', fluistert hij tegen Felicia.

Felicia steekt haar duim op naar de oude man. 'Dank u wel!' zegt ze geluidloos. De man knikt vriendelijk. Felicia sluipt de tuin uit. Vlak voor ze verdwijnt, keert ze zich om. 'Wel uitkijken hè! Misschien is hij wel gevaarlijk. Wacht tot ik er ben!'

Frank mompelt iets onverstaanbaars. Hij wacht nog heel even. Dan komt hij overeind. Het gaat beginnen!

Barry loopt flink door. De wijk met bejaardenhuisjes laat hij achter zich. Hij gaat naar links, een wijk met gewone huizen in. Frank volgt hem op een afstand. Zo nu en dan kijkt hij achterom. Wat duurt het lang voor Felicia terugkomt. Wat is ze allemaal aan het doen? Ze heeft natuurlijk geen idee waar hij naartoe gaat. Hij had een krijtje mee moeten nemen. Dan had hij pijlen kunnen zetten. Of wacht eens... Daar heeft hij helemaal geen krijtje voor nodig!

Hij pakt een witte kiezelsteen van een oprit en krast een pijl op de stoep. Zo. Nu weet Felicia in elk geval dat ze linksaf moet. In de verte steekt Barry de straat over. Frank verbergt zich snel achter een boom.

Barry loopt op zijn gemak langs een paar vrijstaande huizen. Hij kijkt overal uitgebreid naar binnen. Frank rent gebukt naar de volgende boom. Als hij voorzichtig kijkt, loopt Barry net een oprit op. Frank laat van schrik zijn plastic zak uit zijn hand vallen. Snel raapt hij hem op en grist het fototoestel eruit. Precies op het moment dat Barry aanbelt, maakt hij een foto.

Hij rent naar een volgende boom toe. De deur van het huis staat nu open. Barry is in gesprek met een oude mevrouw. Ze laat hem binnen en doet de deur achter hem dicht.

Frank slikt. Tot nu toe kon hij zichzelf wijsmaken dat dit maar een spelletje was. Een soort speurtocht. Doen alsof ze detectives zijn en achter een boef aan zitten. Maar nu is het ineens menens geworden. Een rilling van spanning gaat door hem heen. Hij klemt zijn hand om de kiezelsteen in zijn jaszak. Een pijl! Hij moet een pijl zetten! Felicia moet weten waar hij naartoe gaat. Hij haalt de steen uit zijn zak en tekent een pijl naar de overkant van de straat. Dan steekt hij over.

Nog vier huizen. Nog drie. Nog twee. Hij gaat steeds langzamer lopen. Zijn hart klopt in zijn keel. Waar blijft Felicia nou toch? Hij kijkt nog een keer om, maar ze is nergens te zien. Hij staat er alleen voor. En hij kan niet wachten. Stel je voor dat Barry weer ontsnapt.

Daar is het. Het huis waar Barry naar binnen is gegaan. Het is een oud, vrijstaand herenhuis. De kozijnen zien er verveloos uit. Het gras in de tuin staat hoog. Op de oprit liggen een paar gebroken dakpannen. Frank werpt een snelle blik naar binnen. Hij ziet een oude mevrouw de kamer uit schuifelen. Ze loopt achter een rollator.

Plotseling voelt hij zich woedend worden. Zenuwachtig is hij niet meer. Hij balt zijn vuisten. Dat Barry zo'n makkelijk slachtoffer kiest! Een oud vrouwtje dat nooit achter hem aan kan! Hier moet hij wat aan doen...

15. Boom

Frank kijkt om zich heen. Niemand te zien. Snel zet hij een kruis op de stoep, en een pijl in de richting van de deur. Dan sluipt hij de tuin in. Waar zou Barry zijn? Niet in de woonkamer in elk geval. Dan had hij hem wel gezien. In de keuken? Tussen de struiken door kruipt hij langs het huis. Bij het keukenraam duikt hij omhoog. Hij kijkt naar binnen. Nee. De keuken is leeg. Dat betekent dat Barry boven moet zijn...

Frank hurkt neer achter een grote struik. Zijn blik dwaalt omhoog naar de twee ramen aan de achterkant van het huis. Als hij nou eens in die boom daar zou klimmen... Dan zou hij boven in die slaapkamers kunnen kijken. Maar hoe komt hij er ooit in? De onderste tak zit meer dan twee meter boven de grond.

Hij laat zijn blik door de verwaarloosde tuin gaan. Ligt er niet ergens een ladder hier? Nee. Een oude regenton... een verweerde tuinbank... een kapot wasrek. Niets om mee in een boom te klimmen. Maar die container daar dan? Ja, natuurlijk! Dat is een idee!

Frank sluipt erheen. Hij zet de container overeind en doet de klep dicht. Bah. Hij is helemaal slijmerig. Die is vast in jaren niet schoongemaakt. Smerig. Hij veegt zijn glibberige handen af aan zijn broek. Dan sleept hij de container naar de boom toe. Hij klimt erop. Snel kijkt hij om zich heen. Gelukkig. Nog steeds niemand te zien.

Voorzichtig gaat hij staan. De container wiebelt gevaarlijk. Frank slaat zijn armen om de boomstam heen. Hij kijkt omhoog. Die dikke tak daar... daar kan hij misschien net bij. Hij gaat op zijn tenen staan en zet zich af. Op het moment dat hij de tak vastgrijpt, valt de container kletterend om. Verschrikt kijkt hij omlaag. Diep onder zich ziet hij de bak op het gras liggen. Als niemand het maar gehoord heeft! Snel trekt hij zich op. Hij slaat een been over de tak heen en hijst zichzelf overeind. Doodstil blijft hij zitten. Maar hij hoort niets. Alleen het ritselen van de bladeren. Een vliegtuig dat over komt vliegen. De autoweg een eind verderop. Geen getik tegen het raam. Geen achterdochtige buurvrouw die komt kijken wat dat voor lawaai was, daar in de tuin.

Frank wacht tot zijn ademhaling weer normaal is. Dan gaat hij voorzichtig staan, een arm om de boomstam. Hij kijkt naar boven. De takken zitten op behoorlijke afstand van elkaar. Maar het is te doen. Hij wrijft zijn handen af aan zijn broek. Dan zet hij zijn been op de volgende tak en trekt zich op. Zo snel hij kan klimt hij omhoog. Tot hij op de hoogte van de eerste verdieping is. Door de bladeren heen ziet hij de ramen van de slaapkamers. Nee hè! Hij kan helemaal niet naar binnen kijken, zo. Die bladeren zitten ervoor. Hij zal dichterbij moeten zien te komen.

Hij kijkt naar de tak die naar het raam toe loopt. Hij kijkt naar het gras, diep onder zich. Hij voelt zich draaierig worden. Moet dit echt? Boompje klimmen is geen probleem. Maar om als een koorddanser over zo'n smalle tak te gaan balanceren...

Hij haalt diep adem. Er zit niets anders op. Met tegenzin laat hij de veilige boomstam los. Hij pakt met twee handen de tak boven zijn hoofd vast. Voetje voor voetje schuifelt hij in de richting van het huis. Niet naar beneden kijken. Alleen maar recht vooruit. Is hij er nu bijna? De bladeren benemen hem het zicht op het huis. Ineens voelt hij iets zachts in zijn gezicht slaan. Iets plakkerigs.

Hij rilt van afkeer. Er kriebelt iets op zijn neus. Een spin? Hij probeert hem weg te vegen. Bijna verliest hij zijn evenwicht. Help! De tak kraakt! Hij deint op en neer.

Hij knijpt zijn ogen stijf dicht. Krampachtig houdt hij zichzelf vast. Als de tak maar niet breekt! Het zweet breekt hem uit. Maar de seconden gaan voorbij, en er gebeurt niets. Frank doet zijn ogen weer open. Nu is het genoeg. Hij gaat weer naar beneden. Meteen. Hij lijkt wel gek. Dit is veel te gevaarlijk.

Hé... maar is dat het huis, daar? Het lijkt wel of hij de ramen ziet. Als hij nou even gaat zitten...

Heel voorzichtig laat hij zich zakken. Met een hand duwt hij de bladeren opzij. Ja! Daar is het huis! En hij kan recht in de twee slaapkamers kijken!

Ineens gaat er een schok door hem heen. Op nog geen twee meter afstand ziet hij hem staan. Met zijn rug naar het raam toe. Barry. Hij staat gebogen over een open ladenkast.

Frank voelt zijn hart als een razende tekeergaan. Hij laat de bladeren los. Het fototoestel! Hij moet foto's maken! Nu meteen! Met zijn linkerhand zoekt hij in zijn jaszak. Leeg. Waar heeft hij dat ding gestopt? In zijn andere jaszak? Ja. Gelukkig. Met zijn tanden houdt hij de plastic zak vast. Met een hand haalt hij het fototoestel eruit. De plastic zak wappert naar beneden.

Frank denkt na. Hoe moet hij dit aanpakken? Hij heeft een hand nodig om zichzelf vast te houden. Hoe moet dat? Als hij ook nog de bladeren opzij moet houden én een foto moet maken? Het is onmogelijk. Hij zal verder naar voren moeten.

Heel voorzichtig schuift hij nog iets verder. De tak buigt gevaarlijk door. Frank klemt zijn tanden op elkaar. Gewoon doorgaan. Hij is er bijna.

Hij buigt zo ver mogelijk voorover, tussen de bladeren door. Ja! Hij kan Barry zien! Daar staat-ie! En hij is nog steeds bezig. Nu met de onderste la.

Snel richt Frank zijn fototoestel op het raam. Hij durft niet door de lens te kijken. Hij drukt af. En nog een keer. En nog een keer. Zo. Mooie foto's zullen het niet zijn. Maar Barry staat er in elk geval op.

'Hé!' roept een boze mannenstem van beneden. 'Wat moet dat?'

Er gaat een schok door Frank heen. Hij verliest bijna zijn evenwicht. Nog net op tijd kan hij zich vastgrijpen. Maar het fototoestel valt naar beneden.

Er klinkt een droge tik. Een gesmoorde kreet. Een plof. Dan is het stil.

Frank slikt. Wat is er gebeurd? Heel voorzichtig kijkt hij naar beneden. Diep onder zich ziet hij een man op het gras liggen. Vlak naast hem ligt het fototoestel. O nee! Het fototoestel! Het is op die man terechtgekomen. Wat vreselijk! Zou hij gewond zijn? Hij lijkt wel bewusteloos!

Frank voelt zich helemaal slap worden van ellende. Hij heeft een man knock-out gegooid. Of nog erger. Dit is verschrikkelijk. Hij moet naar beneden. De dokter waarschuwen. Een ziekenauto. Gauw! Voor het te laat is...

Hij denkt niet meer aan Barry. Zo snel hij kan, schuift hij achteruit. Daar is de boomstam al. Hij laat zich op de tak onder zich zakken. En op die daaronder. Zijn handen raken ontveld door de ruwe schors. Maar hij voelt het niet eens. Nog nooit is hij zo snel uit een boom gekomen. Bij de laatste tak boven de grond aarzelt hij. Hij kijkt naar beneden. Dit is te hoog! Straks breekt hij zijn benen nog!

Onzin. Niet aan denken. Net zo vallen als hij met judo geleerd heeft. Als hij nou aan die tak gaat hangen... Ja, zo valt de afstand wel mee. Los! Met een plof komt Frank op de grond terecht. Hij rolt door en blijft even liggen. Dan komt hij voorzichtig overeind. Zijn voeten doen pijn. Maar hij is nog helemaal heel.

Waar lag die man? Frank kijkt om zich heen. Hij knippert met zijn ogen. Dit kan niet. Heeft hij het zich verbeeld? Dáár lag hij toch? Vlakbij het huis? Maar nu ligt er niemand meer. De tuin is weer net zo verlaten als eerst. En zijn fototoestel is verdwenen...

16. Politie

'Pssst!'
Verschrikt kijkt Frank om zich heen.
'Frank!' klinkt de zachte stem van Felicia. 'Hier!'
Frank ziet Felicia buiten de tuin achter de heg staan. Hij rent gebukt naar haar toe. 'Waar bleef je nou!' fluistert hij. 'Ik...'
'Is-ie daar naar binnen gegaan?' valt Felicia hem in de rede.
Frank wijst naar boven. 'Ja. Daar. Ik heb foto's gemaakt. Maar...'
'Mooi.'
'Ja! Nee! Helemaal niet mooi! Het fototoestel is... is...'
'Ja?'
'Weg! Gevallen!'
'Wat! Waar?' Felicia is al weg, het tuinpad op. 'Kom op! We moeten het zoeken!'
'Nee! Wacht nou even!'
Felicia draait zich om. 'Wat ís er?'
'Ik...' Frank dempt zijn stem, '...ik heb het op iemands hoofd laten vallen.' Hij slikt.
'Wát?'
'Ssssst!'
'Je hebt het fototoestel op iemands hoofd laten vallen? Op Barry's hoofd?' Felicia kijkt hem hoopvol aan. 'Heb je Barry geraakt?'
'Nee! Ik heb geen idee wie het was. Een of andere man die ineens in de tuin stond. Hij begon tegen me te roepen terwijl ik boven in de boom zat. Ik viel bijna naar beneden van schrik. En toen viel het fototoestel uit m'n vingers. Boven op die vent z'n kop.'

Ongerust kijkt hij Felicia aan. 'Hij viel op de grond en hij bewoog niet meer.'

Felicia klakt met haar tong. 'Ik kan jou ook niet alleen laten, hè!'

'Doe nou even serieus. Stel je voor dat hij... dat ik...'

'Wát! Je denkt toch niet dat er echt iets aan de hand is? Dan zou hij hier nog wel liggen. Hij heeft hoogstens een gat in z'n kop. Komt-ie vast wel overheen. Kom op.'

'Kom op, wat? Wat wou je doen?'

Felicia zucht. 'Je bent het fototoestel toch kwijt? Er zit niks anders op. We moeten Barry nu maar op heterdaad proberen te betrappen. Luister. Ik ga naar binnen. Houd jij de wacht bij de achterdeur. Voor het geval hij wil ontsnappen.'

Frank aarzelt. En die man dan? Stel je voor dat hij zwaargewond is! Maar Felicia is al halverwege het pad. Ze draait zich om. 'Kom je nou nog of niet?' zegt ze vinnig. Ze drukt op de deurbel. Frank duikt snel weg achter de struiken. Net op tijd. De deur gaat open. 'Goedemiddag,' hoort hij Felicia zeggen, 'mag ik uw wc ook even zien?'

Ondanks alles moet Frank glimlachen. Dus zo komt ze het huis binnen. De mag-ik-uw-wc-even-zien-manier! Vorig jaar hadden ze op school een themaweek over zuinig omgaan met water. Ze moesten toen overal langs de deuren. 'Mag ik uw wc even zien?' Om te kijken of mensen een spaarknop hadden. Bijna iedereen werkte mee. Deze mevrouw ook, zo te zien. Felicia's stem wordt zachter. De deur valt dicht. Ze is binnen!

Snel sluipt Frank langs de zijkant van het huis. Langs het overwoekerde rozenperk, langs een paar tuinkabouters, onder de boom door... Het hoge gras is hier platgedrukt. Frank blijft even roerloos zitten kijken. Dit is de plek waar hij de man heeft zien liggen. Dus hij heeft het zich niet verbeeld! Wat kan er toch met hem gebeurd zijn? Hoe kan hij zo ineens verdwenen zijn? Vaag hoort hij een auto aan komen rijden. Autoportieren die dichtgeslagen worden. Mannenstemmen die dichterbij komen.

Ineens wordt hij ruw bij zijn schouder gepakt. Hij schrikt op en krabbelt overeind. Hij kijkt midden in het strenge gezicht van een politieman. Naast hem staat een Indische man van een jaar of zeventig. Hij houdt een zak ijsklontjes tegen zijn voorhoofd. En hij ziet er boos uit.

'Is dit hem?' vraagt de politieman bars.

De man neemt Frank van hoofd tot voeten op. 'Dit is hem.'

'Zo,' zegt de agent, 'dat is niet best, jongeman. Wat doe jij hier in deze tuin?'

'Ja, precies!' zegt de man. 'Wat doe jij hier! In de tuin van mijn buurvrouw!'

Verbijsterd kijkt Frank van de een naar de ander.

'Nou?' zegt de man ongeduldig. 'Komt er nog wat van?'

'Pardon, meneer Soepitjo', zegt de agent. 'Ik stel hier de vragen.'

Meneer Soepitjo snuift geërgerd. Hij klemt zijn lippen op elkaar.

'En?' zegt de agent. 'Weet je het al?'

Frank bijt op zijn lip. 'Eh...' Wat was de vraag ook al weer? Dan ineens dringt het tot hem door. Dit is de man die bewusteloos in de tuin lag. De man die ineens verdwenen was. Opgelucht kijkt hij hem aan. 'U leeft nog!'

'Ja, ik leef nog', snauwt meneer Soepitjo. 'Maar niet dankzij jou.' Hij tilt de ijszak op. Een enorme bult wordt zichtbaar. 'Zie je dat? Ik had wel in het ziekenhuis kunnen belanden! Of erger!'

'Eh...' Frank weet niet wat hij moet zeggen. Wat zeg je tegen iemand die je per ongeluk bewusteloos hebt gegooid? 'Sorry'?

Meneer Soepitjo drukt de ijszak weer tegen zijn hoofd. Hij haalt het cameraatje uit zijn jaszak. 'Kijk, agent. Dit ding gooide hij zomaar op mijn hoofd. Van vier meter hoogte.'

Frank spert zijn ogen wijd open. 'Yes!' roept hij. 'U hebt hem gevonden!' Hij steekt zijn hand uit. 'Mag ik hem terug?'

Meneer Soepitjo kijkt hem verontwaardigd aan. 'Nou zullen we het krijgen!' Hij geeft het cameraatje aan de agent. 'Alstublieft, agent. Bewijsmateriaal.'

17. Houd de dief!

Op dat moment ziet Frank vanuit zijn ooghoek iets bewegen, achter in de tuin. Iets groots. Iets blauws. Een deur slaat met een klap dicht. Er klinken snelle voetstappen.

'Frank!' roept Felicia vanuit de voortuin. 'Hij wil ervandoor! Houd hem tegen!'

'Houd de dief!' klinkt een beverige vrouwenstem.

Frank schiet er als een pijl uit een boog vandoor. Hij denkt er niet over na dat Barry veel groter en sterker is dan hij. Hij denkt maar aan een ding. Hij moet Barry tegenhouden. Voor hij ervandoor gaat.

'Hé!' hoort hij de agent roepen. 'Hier blijven, jij!'

Frank luistert niet. Hij sprint door de tuin. Barry rent naar de schutting toe. Maar vlak voor hij er is, heeft Frank hem te pakken. Hij springt hem op de nek. Barry slaat woest om zich heen. Frank krijgt een harde stomp tegen zijn neus.

'Felies!' schreeuwt hij.

'Hier!' roept Felicia, die aan komt rennen. Ze duikt naar Barry's voeten en trekt hem onderuit. Met een klap slaat hij tegen de grond. Frank komt half onder hem terecht.

Op hetzelfde moment wordt hij omhooggetrokken.

'Zo ventje!' zegt de agent streng. 'Ga jij maar even mee naar het bureau. Dan kun je me daar precies uitleggen wat er aan de hand is. Wegvluchten terwijl ik met je aan het praten ben. Een werkman aanvallen. Het huis van een oude dame begluren. Een onschuldige man bekogelen met fototoestellen.'

'Maar... maar...' stamelt Frank. Hij voelt zich duizelig. Zijn achterhoofd doet pijn. En zijn neus. Er stroomt iets warms over zijn kin. Bloed druppelt op zijn jas. Met de rug van zijn hand veegt hij zijn gezicht af.

'Je bloedt!' roept Felicia. Ze trekt de agent aan zijn mouw. 'Hij bloedt, hoor! U kunt hem niet zomaar meenemen! En trouwens, hij heeft niks gedaan. U moet hém meenemen!' Ze wijst naar Barry, die met een pijnlijk gezicht overeind komt.

'Ze heeft gelijk, agent!' roept meneer Soepitjo. Hij helpt mevrouw De Vries met haar rollator door het hoge gras. 'Arresteer hem! Hij is een dief!'

De agent laat Frank los. Hij kijkt naar Barry, zijn wenkbrauwen opgetrokken.

Barry steekt zijn handen verontschuldigend in de lucht. 'Geen idee waar hij het over heeft, agent.'

'O nee?' roept Felicia. 'Moet ik je geheugen even opfrissen? Je hebt mevrouw De Vries bestolen! En mevrouw De Groot! En die mevrouw uit het bejaardenhuisje!'

Barry zucht. 'Luister, meisje', zegt hij. 'Ik weet niet hoe je bij die onzin komt. Ik werk gewoon bij de Verwarmingsunie. Ik heb de verwarmingsketel schoongemaakt.'

'Ha!' zegt Frank. 'En waarom wilde je dan over de schutting klimmen?'

Mevrouw De Vries is eindelijk aangekomen. Ze laat zich op haar rollator zakken. 'Agent...' zegt ze hijgend.

'Ja, mevrouw?'

Mevrouw De Vries wacht even tot ze op adem gekomen is. 'Mijn parelketting... is... verdwenen... En deze jongeman... weet daar... meer van.' Ze legt haar hand op haar hart.

'Onzin!' valt Barry haar in de rede. Hij buigt zich over naar de agent. 'Mevrouw heeft ze niet meer allemaal op een rijtje', fluistert hij achter zijn hand.

'Mijn buurvrouw beledigen, hè?' zegt meneer Soepitjo verontwaardigd. 'Nou, laat ik je dit vertellen! Deze dame heeft meer verstand in haar pink dan jij in die bolle kop van je! Heb je ze zelf wel op een rijtje? Snotaap!'

De agent recht zijn rug. Hij doet zijn armen over elkaar en kijkt

Barry streng aan. 'Meneer? Kunt u mij uitleggen wat u hier doet?'
Barry heft zijn handen in de lucht. 'Hoe vaak moet ik het nog
zeggen? Ik heb hier de verwarmingsketel schoongemaakt.
Gratis service van de Zeeuwse Verwarmingsunie! Stelletje achterdochtige bejaarden! Nou, als u me nu wilt excuseren? Dan kan ik
naar de volgende ondankbare klant.'
'Hoho!' roept meneer Soepitjo. Hij grijpt Barry bij zijn arm. 'Niet
zo gauw, jij. Vertel eerst maar eens even waar die ketting is.'
'Laat me los, ouwe!' zegt Barry geërgerd. Hij probeert zich los te
rukken. Maar meneer Soepitjo is sterker dan hij eruitziet. Barry
heeft geen schijn van kans.
'Pardon, meneer', zegt de agent beleefd. Hij tikt meneer Soepitjo
op zijn schouder. 'Zou u het arresteren aan mij kunnen
overlaten? Laat u deze jongeman maar los. Ik beloof u dat hij niet
weg zal lopen.'
Met tegenzin laat meneer Soepitjo Barry los. Barry werpt hem
een woeste blik toe.
'Ik weet niks van een ketting. Ik ben alleen in het verwarmings-
hok geweest.'
'Ha!' zegt Frank. 'En wat deed je daar in die slaapkamer? Wat
zocht je in die ladenkast?'
'Ladenkast?' Barry kijkt een beetje benauwd. 'Ik weet niet waar je
het over hebt.'
'Ik heb het zelf gezien!' zegt Frank. 'Daar! Vanuit die boom. En
het staat op de foto. De politie heeft het rolletje al.'
Hulpzoekend kijkt Barry om zich heen. 'Eh...'
De agent schraapt zijn keel. 'Nou, meneer. Waar wilt u uw zakken
legen? Hier of op het bureau?'

Barry lijkt te beseffen dat er geen ontkomen aan is. Langzaam haalt hij zijn zakken leeg. Een mobieltje. Een bankpasje. Een gouden armband. Een parelsnoer.

'Ha!' roept meneer Soepitjo. 'Dat is hem! Of niet, mevrouw De Vries?'

Mevrouw De Vries bekijkt het parelsnoer nauwkeurig. Ze knikt langzaam. 'Dit is hem.'

'En de rest is van die mevrouw waar hij net geweest is', zegt Felicia. Ze zet haar handen in haar zij. 'Waar hij zogenaamd de waterleiding moest repareren.'

'Jij stuk schorem', sist meneer Soepitjo tussen zijn tanden.

De agent haalt een opschrijfboekje tevoorschijn.

'Naam?' vraagt hij.

'Gert van Huffelen', antwoordt Barry zonder aarzelen.

'Barry van Laeren', zegt Frank.

Barry kijkt hem giftig aan.

De agent knikt langzaam. Met zijn pen tikt hij tegen zijn tanden. 'Barry van Laeren... Familie van professor Van Laeren?'

'Nee', zegt Barry snel.

'Ja,' zegt Felicia, 'een zoon.'

Barry lijkt als een pudding in elkaar te zakken.

'Zo...' zegt de agent. Hij klapt zijn boekje dicht. 'We gaan even een ritje maken, meneer Van Laeren, u en ik. Wat dacht u daarvan?'

'Hij heeft nog veel meer gestolen, hoor!' zegt Felicia. 'Ligt in zijn bureaula.'

Barry werpt haar een vuile blik toe. De agent doet Barry handboeien om.

'Dus eh...' begint Frank.

'Ja?' vraagt de agent.

'Dus ik hoef niet mee?'

De agent kijkt hem verbaasd aan. 'Waarom zou jij mee moeten?'

'Nou, omdat ik dat fototoestel heb laten vallen. Op meneer Soepino.'

'Soepino?' zegt meneer Soepitjo. 'Soe-pit-jo! Ik trek mijn aanklacht in, agent. Deze jongen had niets kwaads in de zin. Integendeel! Als deze jongen er niet geweest was...' Hij zwijgt. Dan grijpt hij de hand van mevrouw De Vries. 'Mag ik u naar binnen begeleiden, mevrouw?'

Mevrouw De Vries kijkt dankbaar naar hem op. 'Heel graag, meneer Soepitjo. Heel graag.'

18. Een zwarte walm

'Zo wordt het niks met die band,' moppert Felicia, 'als we ons geld gaan uitgeven aan gratis ontbijten. Nu zijn we wéér blut.'

Frank grinnikt. 'En het was jouw idee!'

'Ja, omdat jij er niet op kwam.'

'O, dus je bent boos omdat ik het niet verzonnen heb. Omdat je mij de schuld niet kunt geven.'

'Precies!'

Frank kijkt naar Felicia. Hij grijnst. Felicia kijkt nog even stuurs voor zich uit. Dan begint ze te lachen. 'Nou ja, het is toch zo? Die man had wel een hersenschudding kunnen hebben! Dit is wel het minste wat we kunnen doen!'

'Je hebt gelijk', zegt Frank. 'En het is een heel goed idee. Ik zou er nooit op gekomen zijn.' Hij springt van zijn fiets en zet hem tegen de heg. Met twee tassen in zijn handen loopt hij naar de deur.

'Bel jij even aan', beveelt Felicia. 'Ik heb geen handen meer over.'

'Ik wel dan?' Frank houdt zijn tassen in de hoogte.

'Ja, maar jij bent de jongen. Jij hoort beleefd te zijn.'

'Hmm. En jij niet, zeker?' Met zijn elleboog drukt Frank op de deurbel.

Meneer Soepitjo doet de deur open. Hij loopt nog in zijn ochtendjas. 'Frank en Felicia?' zegt hij verbaasd. 'Wat verschaft mij de eer?'

'Wij komen een ontbijt voor u maken', zegt Felicia.

'Een ontbijt?'

'Ja,' zegt Frank, 'om het weer goed te maken. Van dat, eh... van dat fototoestel. Dat ik op uw hoofd liet vallen.'

'Maar dat is toch helemaal niet nodig!' zegt meneer Soepitjo vriendelijk. 'Ik heb er niets aan overgehouden. Nou ja, bijna niets.' Hij voelt voorzichtig aan zijn voorhoofd. Frank ziet dat hij nog steeds een flinke bult heeft.

'Ik had u wel dood kunnen gooien', zegt hij.

Meneer Soepitjo glimlacht. 'Met dat kleine cameraatje? Welnee. Ik heb een stevige schedel, hoor. Als het nou een kokosnoot was geweest! Trouwens... het was net zo goed mijn schuld. Ik had je niet zo moeten laten schrikken. Je had wel uit de boom kunnen vallen. Ik dacht dat je een inbreker was, zie je. Een ontbijt, zeiden jullie?'

'Ja,' zegt Felicia, 'want wij hebben een ontbijtclub. Wij maken ontbijten voor mensen die jarig zijn.'

'Ja, of die gewond zijn.'

'Zo!' zegt meneer Soepitjo. 'Wat buitengewoon vriendelijk van jullie! Kom maar gauw binnen. Of wacht eens...' Hij glimlacht. 'Ik heb een idee... Wat vinden jullie ervan om dat ontbijt bij mijn buurvrouw te maken?'

'Bij mevrouw De Vries?' vraagt Frank verbaasd.

Meneer Soepitjo knikt.

'Goed idee!' zegt Felicia. 'Maar dan komt u er toch wel bij?'

'Ja,' zegt meneer Soepitjo, 'natuurlijk! Geef me een moment om iets aan te trekken. En om even... Een roos staat er zo prachtig bij...'

Ze staan samen in de keuken van mevrouw De Vries. Frank roert in de havermout. Felicia is bezig met het beslag voor de pannenkoeken.

'Hé, Frank', zegt Felicia.

Frank kijkt op. 'Mmm?'

'Volgens mij, hè...'

'Wat?'

'Nou, volgens mij is-ie je-weet-wel.'

'Wat?'

'Nou, verliefd.'

'Wát? Meneer Soepitjo?' Frank kijkt Felicia vol afkeer aan. 'Op mevrouw De Vries?'

Felicia knikt. 'Die handkus. En die roos...'

Frank schudt vastberaden zijn hoofd. 'Doe niet zo raar. Dat is een ouwe man hoor. En zij is ook hartstikke oud.'

Felicia haalt haar schouders op. 'Nou ja, misschien is het wel onzin.' Ze giet een scheutje olie in de koekenpan. 'Ik heb er ook geen verstand van.' Ze laat een pollepel beslag in de pan glijden. 'De worstjes zijn warm. En de eieren zijn klaar.'

Frank doet snel het gas onder de worstjes uit. Hij giet ze af en legt ze op een bordje. De gekookte eieren zet hij onder de koude kraan. Hij zoekt borden, bekers en bestek bij elkaar. Yoghurt... een banaan en een appel... Gelukkig dat ze zoveel hebben meegenomen. Dit is meer dan genoeg voor twee mensen. Hij stapelt alles op een dienblad.

'Klaar!' zegt Felicia. Ze legt de tweede pannenkoek op een bord.

'Oké.'

Frank brengt het dienblad naar de kamer. Felicia komt achter hem aan met de pannenkoeken.

Meneer Soepitjo en mevrouw De Vries zitten al aan tafel. Tegenover elkaar. De roos ligt tussen hen in. Ze kijken elkaar glimlachend aan.

Meneer Soepitjo schraapt zijn keel. Hij legt zijn bruine hand op de blanke, rimpelige hand van mevrouw De Vries. 'Frank en Felicia...'

Felicia zet het bord met pannenkoeken op tafel. 'Ja?'

'We moeten jullie iets leuks vertellen. Jullie zijn de eersten die het horen...'

Felicia draait zich om naar Frank. Een grijns trekt over haar gezicht. Frank rolt met zijn ogen. Felicia had gelijk! Hoe komt hij hier weg!

'Die klap op mijn hoofd heeft mij goedgedaan', gaat meneer Soepitjo verder. 'Ineens zag ik wat ik jaren eerder had moeten zien. Mevrouw De Vries en ik... we zijn al heel lang buren. Maar vanaf woensdag...'

Op dat moment dringt een bekende stank Franks neusgaten binnen. De havermout! Hij springt op en rent naar de keuken.

'Ho, wacht even!' roept meneer Soepitjo hem na. 'Ik ben nog niet klaar!'

Frank luistert niet. Hij gooit de keukendeur open. Een zwarte walm komt hem tegemoet. Hij draait snel het gas uit. Dan laat hij zich opgelucht op een keukenstoel zakken. Pfoei! Dat was op het nippertje...